瘦孕

邱锦伶 著

孕期只重8公斤、产后3周速瘦、
不害喜不水肿的好孕饮食法

中国戏剧出版社

图书在版编目（CIP）数据

瘦孕 / 邱锦伶著. — 北京：中国戏剧出版社，2012.12
ISBN 978-7-104-03798-9

Ⅰ.①瘦… Ⅱ.①邱… Ⅲ.①孕妇—营养卫生—基本
知识 ②产妇—营养卫生—基本知识 Ⅳ.①R153.1

中国版本图书馆CIP数据核字(2012)第196934号

瘦孕

邱锦伶 著

图书策划：吴宏凯
责任编辑：丁纪红 曹 敬
装帧设计：李海峰 常 春
责任印制：冯志强

出版发行：中国戏剧出版社
出 版 人：樊国宾
社 址：北京市海淀区紫竹院路116号嘉豪国际中心A座10层
网 址：http://www.theatrebook.cn
电 话：010-58930221 58930237 58930238
58930239 58930240 58930241（发行部）
传 真：010-58930242（发行部）
读者服务：010-58930221
邮购地址：北京市海淀区紫竹院路116号嘉豪国际中心A座10层
（100097）

印 刷：北京图文天地制版印刷有限公司
开 本：710 mm×1000mm 1/16
印 张：12.25
字 数：60千
版 次：2012年12月 北京第1版 第1次印刷
书 号：ISBN 978-7-104-03798-9
定 价：36.00元

轻松"瘦孕"好快乐

——林熙蕾

认识邱老师转眼四年多了，认识她多久，我就按照她建议的养生方式生活了多久。四年说起来并不算太长，但在我的人生历程中，是从小姐变成太太、变成母亲的人生转捩点，因此邱老师在我的生命中，可说是意义非凡。

看完邱老师这本教大家如何让体质变得容易受孕、怀孕期间该如何照顾自己和宝宝，一直到产后如何恢复身材和照料宝宝的书，我像是回顾了一遍自己的怀孕过程。一边回顾、一边庆幸在怀孕之前就认识了邱老师，使我养成很好的体质，因此整个怀孕过程我真的没有什么不舒服，就这样快快乐乐地成为母亲。这不是在吹嘘，只有自己经历过，才知道这是真的可以做到的，希望所有想要当母亲或者即将成为母亲的人，都可以跟我一样拥有美好的经验，这就是我非常愿意推荐这本书的原因。

怀孕头三个月内重三公斤，多亏邱老师救了我

我是在怀孕三个月时才告诉邱老师的，在那之前，我自认为已经很懂得养生之道，虽然头三个月我就胖了3公斤，但我想整个怀孕过程到最后不是可以胖个8、9公斤嘛，那一个月1公斤好像很平均，到第九个月就要生产啦，所以我自认这样是完全没有问题的。

后来我打电话给邱老师，告诉她我怀孕的好消息，并且把近况跟她报告一下，没想到邱老师说："太胖了！头三个月根本不应该增加体重呀！"被邱老师这么一说，我自己当然挺心虚的，因为那三个月我常常在外面吃饭，有时难免无法控制地乱吃一些东西，后来我问医生，医生也是说其实前三个月宝宝的吸收还很少，因此妈妈的确体重不应该增加才对。

所以在邱老师的耳提面命之下，我就开始乖乖地按照

书中所写的那样，每天喝汤、摄取优质蛋白、淀粉、蔬果，该吃的都好好吃，随着孕期的变化，也按着时间表增加优质蛋白质的摄取量，就这样一直到生产，我总共只重了8公斤，完全做到邱老师的标准。当然在怀孕后期，许多长辈都担心我的肚子太小，但是医生说，时代不一样了，以前的人喜欢怀孕像包子，皮厚肉少；可是现在的人应该要像小笼包那样，皮薄肉多。最主要的是，宝宝生出来之后有3公斤多，而且非常健康。

我自己一生完宝宝立刻只比怀孕前重2公斤，而在生完的第三个星期，都还没有满月呢，我那2公斤就已经完全消失了！

从知道自己怀孕开始，我身边的朋友就一直警告我，害喜会很痛苦，但我一直没有害喜的症状，过了这一关，到了怀孕五六个月的时候，朋友们又一直警告我会水肿。

我那些有过怀孕经验的朋友们，几乎都水肿过，大家都会分享各种水肿的症状，有一个严重到连拖鞋都穿不进去！听得多了，我也就觉得这种情形好像一定会发生，但一直到宝宝呱呱落地，我都不晓得什么叫水肿，我想这是拜我按照吃该吃的、吃对食物的准则，不该吃的，我严谨地一点儿也不碰，使得我能够做到孕期零不适的结果。

我要跟所有的女性分享这样的经验，我做得到，你也一定可以。

妈妈的心情宝宝全都懂

许多人都说胎教很有用，我自己的经验也的确是这样。从知道自己怀孕开始，每天心情都很好，我做什么都会告诉肚子里的女儿，后来证明她真的都听得懂。像我要去做检查，我前一天就告诉她明天是要照你的手手哟，第二天检查时，她就真的会特别把手张开；要做羊膜穿刺前，我也是跟她说叫她要躲好，到了做检查的那天，她乖乖地缩在一边，完全都不动，让我的检查非常快速简单。宝宝在肚子里时都听得懂了，更何况是出生后。

所以我更加相信做母亲的要自己保持好心情，宝宝不仅会感觉得到，而且出生后的脾气和个性也会相对地好带。

这世界上真的有个人让你愿为她牺牲一切

在我女儿出生后，几乎都是自己和先生两人轮流在带，看着她一天一天地变化，每每都感觉到生命的美妙和感动。我很幸运地有一个很好带的宝宝，从月子中心回到家后，不到三个月，宝宝半夜就不会再起来喝奶，到了四个月的时候，就已经完全可以从晚上七点睡到第二天早上七点。

因此我也发现睡眠对宝宝的重要性，有好的睡眠，宝宝情绪就会很稳定，每天早上我起床看见她从一睁开眼，就是冲着我笑，有这样美好的一天的开始，我跟宝宝都很开心。

很多妈妈都会抱怨晚上要一直起来喂奶，或者白天宝宝也是忽然一下就哭，但喝一点点奶后又再也喝不下，过一下又哭，这样折腾大人也不是宝宝想要的状况。如果大人没有培养好宝宝喝奶的习惯，大家就会难免都要跟着受罪。如果我在宝宝喝奶的时候给宝宝足够的量，然后给宝宝时间让她消化喝进去的奶，这样到了下一次给宝宝喝奶的时间，宝宝就可以再喝下足够的量。

我也要很骄傲地说，这样照顾宝宝的方式，让我的宝宝每次去做检查时的结果都是身高第一名，体重标准，各方面发育都很好。（虽然一开始宝宝身高第一名让我觉得很有压力，因为我担心女生长太高不好，但健康是最重要的。）

真的只有自己当了妈妈才能体会做母亲的心情，之前我本来想头一年自己照顾宝宝，接下来应该就会恢复工作，但现在我觉得小孩每一天都在变，我的朋友也会问我为什么不请保姆？我不怕自己辛苦，只怕错过女儿的成长，我常常看着她的脸，渐渐明白：在这个世界上，有一个人会让你愿意牺牲一切去爱她、保护她。这样的感觉没有当过妈妈的人，应该真的很难体会。至于工作？就随缘吧！

邱老师的这本《瘦孕》真的能够给那些想当母亲的人带来许多希望，也能给即将当母亲的朋友带来许多好的观念。邱老师一直在教大家的事情就是"吃对东西"，我深受其益，也希望你们能跟我一样。谁说妈妈不能同时拥有健康的宝宝和理想的身材？你一定做得到！

目 录
CONTENTS

CH1
准备怀孕

■ 对多数女人来说，在自己的子宫当中孕育出健康宝宝，是人生规划当中很重要的课题。但是，也有很多人为寻找成功受孕的方法而烦恼，因此来找我咨商。其实，想要怀孕，你只需要多爱自己的身体一点，打造温暖体质就不成问题！

打造温暖体质，迎接健康宝宝

对女人来说，借着温暖的子宫将一个生命从只是受精卵的原形，慢慢孵育成完整的生命体，这个过程既美好又动人，是许多女人梦寐以求的人生必经历程。

当然随着时代的改变，女人拥有了较多的选择，不论传统观念中如何认为生育是女人的天职，或是有一些现代女性选择跳过这一个历程，追求自己生命的独立自主，我认为，每一个人是不同的个体，有权利选择最适合自己的人生，没有绝对的好与坏，我们应该尊重每一个人为自己做的决定。

我在帮人做养生咨询时，帮助过许多想要怀孕、正在怀孕以及初为人母的朋友，常常陪伴她们走过成为母亲的过程，从她们身上，我感受到女人天性中的母爱得以发挥时，是多么的美丽和充满光辉，也往往备受感动。现在的我膝下无子，但如果可以重新选择，我是渴望有机会成为母亲的，只是这个渴望受到生理时钟的限制，恐怕是不会达成了。

年轻时，听过太多妈妈、阿姨们怀孕时的不适及生产时的痛苦，再加上亲眼所见的产后身材变形，造成我一直对怀孕生产这件事心怀恐惧，也就一年拖过一年；当我因为学习养生，也学会了女人从准备怀孕到整个怀胎过程、生产及产后坐月子的方法时，我已经过了最好的生育年龄。但也因为这样，我格外喜欢帮助想成为母亲的朋友达成她们的心愿，看见她们孕育生命的喜悦，对我而言是莫大的幸福。

很多人会好奇地问我，前来找我咨询养生的人最关心的问题是什么？坦白讲，就像我在第一本书《择食》当中所提到的，有许多现代人常碰到的健康问题，而更多的人是为了瘦身和美丽而来找我，最让我觉得诧异的是无法怀孕的朋友占的比例也非常高。那些一心想要孕育出自己的下一代，肚子却迟迟没有动静的夫妻，每当感受到他们的焦虑、挫折和失望，我常常替他们觉得心痛。

的确，现今社会大部分人的工作一天比一天繁重，光是赚一份薪水，压力就已经很难承受，大家的生活习惯也在不知不觉中有了变化，喜欢以追求口腹之欲来弥补内心因压力带来的种种负面情绪，所以饮食的选择上会追求精致和复杂调味的"美食"，好不容易可以放松一下的周末，则用一个接一个的聚会来寻求快乐……这些生活模式日积月累下来，身体和心灵都很容易失调，当事人却不自觉，再加上大多数人都不会意识到身体发出的警讯，体质早就阴阳失调，当事人却一点警觉也没有。

身体处于这样的状况，不论多努力地准备怀孕，自然也无法"造人"成功。有些好不容易受孕成功的人，却得忍受孕期的不适或流产的痛苦。我常常碰见一群妈妈聚在一起，大家一聊起怀孕的过程，各种辛苦如数家珍，好像聊个三天三夜也讲不完；还有已经生过小孩的人似乎都认为怀孕本来就是一件辛苦的事情，受罪、受苦根本就是当妈妈前天经地义的必经过程。也对啦，我们好像从小看的连续剧里就有这样的情节，甚至亲耳听过自己的母亲对孩子说："你可是我辛辛苦苦怀胎十月生下来的！"所以也难怪我们想当然地认定怀孕就是注定要付出辛苦的代价。

但是我要告诉各位的是，其实，只要做对一件事情，就会有个健康的宝宝，更可以有个零不适的美好孕期。请给你自己一个机会，不要抗拒相信怀孕可以是从头到尾都美好的经历。

那件该做的事情，就是让身体成为"**温暖体质**"。因为温暖的体质，是最容易受孕的体质，也是孕育宝宝的最佳状态。除此之外，还能让你的孕期无比舒适，举凡大家口耳相传的怀孕症状，比如孕吐、皮肤粗糙、双脚水肿、产后身材走样、胸部萎缩下垂、产前产后忧郁……甚至哺乳过程中乳腺炎、奶水分泌不足等等苦不堪言的困扰，以及各种你听过让人想放弃做妈妈的不适症状，都可以不发生。你绝对有权利当一个散发好气色，拥有好身材的美丽孕妇，享受真正的"好孕"。

温暖体质就是要靠吃呀

想要拥有温暖的体质，只要根据自己的身体状况，挑选对的食物来吃，确实忌口不适合自己的食物，日常生活作息正常，每一个人都可以慢慢将体质调整成温暖的体质。

　　首先，你得先以自己目前的体质状况来做出正确的判断。就我所碰到过的咨询对象而言，大部分女生的体质状况，常见的不外乎就是"寒性"与"阴虚火旺"两种，其中因为体质太寒而引发上火的阴虚火旺体质，更占绝大多数。

　　既然身体太寒，又怎么会上火呢？在我咨询的众多对象中，几乎大家都有这个疑问。其实这个道理很容易明白，因为当身体是寒性的时候，你可以想像，血流动的速度一定会比较慢，新陈代谢也自然会跟着减缓，此时如果吃进上火的食物，身体就会缺乏能力将火顺利地排出，火便开始累积在体内，时间一久就会转变成阴虚火旺的体质啦！

　　所以阴虚火旺体质的人，身体经常会有的困扰是包含寒性体质的经典症状，例如手脚冰冷、经痛、腰酸、分泌物多、妇科容易发炎、鼻子过敏、皮肤容易过敏等等；另外还有各种上火的症状，包括早上起床有眼屎、眼睛干、酸、痒，口干舌燥、嘴破、口臭、大便颜色深、易怒、无名火、浅眠、失眠、皮肤过敏、长痘痘等等。这些统统汇集于一身，身体所承受的折磨，可就真的有如三温暖般冷热交替了！

如果是这样的体质，就算你不打算怀孕，也已经是在受罪了，更何况它会让你无法顺利地孕育宝宝。最适合宝宝的身体，就是拥有温暖体质的母体。其实，母亲的身体就像是孕育所有生物的大地一样，要提供生命所需要的养分和滋润，温暖的环境当然是首要条件，只有这样，胚胎才会容易着床和健康成长。

　　而依据我所知道的道理，就是从对"吃"的选择开始改变体质。

吃的原则简单到谁都学得会

　　我不断地跟所有希望拥有健康身体的朋友强调这件事情，吃的原则其实简单得不得了，但是有些人还是会抗拒，之所以如此，不外乎是懒惰以及过于放纵自己。但是只要你仔细想想，你如果想做一个母亲，只要稍微勤劳一些些，限制自己一点点，控制自己的饮食，就可以让婴儿和你自己都得到健康，这跟一人吃两人补的道理一样，可是好处加倍的绝佳选择呢。

所以只要先掌握以下 4 点原则，你就已经有 70%的达成率，请相信为了宝宝和你自己，你一定会做到！

1、摄取优质蛋白质

蛋白质通常存在于：鱼、肉、蛋、黄豆以及奶制品当中。但是身体能否吸收到优质的蛋白质，则要看烹调这些食材的方式。蛋白质如果烹调时间过长，营养素会被破坏殆尽，因此，烹调时间的掌握非常重要，判断的原则是，在煮滚的情形下，烹调时间不能超过 15～20 分钟，如此才能保住营养素不被破坏。吃下去后，身体就会吸收到这些优质的蛋白质，否则，吃再多的蛋白质不但对健康都无济于事，这些劣质蛋白质在体内还会成为身体酸毒的来源。

讲到这里，我们可以先回想一下自己从小到大，不论是在家里，或者是自己在外面吃到的蛋白质究竟是优质的，还是劣质（不但对身体没有帮助，反而有伤害）的。想想看，从小家里常吃的红烧肉、肉燥……餐厅里吃的咖喱鸡、东坡肉、烤鸭、烧鹅、油鸡、卤蛋、卤肉、茶叶蛋……这些我们吃了一辈子，用习以为常的方式烹制的肉，其实都是劣质的蛋白质啊。所以要记得，从现在开始拒吃这些你习以为常的家常菜肴吧！

在蛋白质类的食材中，还有需要留意的地方，尤其对于想要怀孕的人来说。如果本身已经有妇科问题，诸如子宫肌瘤、乳房纤维瘤，或是卵巢囊肿等等，请小心吃鱼。因为鱼类本身与荷尔蒙有关，如果摄取太多，也许会把肌瘤养大。想吃的话，也请尽量选择在中午食用，每周吃一至二次就好，这是比较适当的份量。

此外，也得检视一下，你是否对奶制品与黄豆类食物过敏。如果你有胀气、难以入睡、浅眠多梦、青春痘、香港脚和胃发炎、闷、胀、痛的问题，那么黄豆以及相关制品，包括豆干、豆腐、豆皮、豆花、豆浆、黄豆芽、纳豆、毛豆、味噌、黑豆、豆豉，以及奶制品如调味乳、起司、冰淇淋、炼乳、优酪乳等等，都要暂时忌口。还有，吃饭时要细嚼慢咽，不要边看电视边吃饭，也别聊天，养成专心吃饭的习惯，也有助于改善胀气喔。

2、下午四点以后，不吃叶菜类与水果

蔬菜水果大部分是属于寒性食材，所以只要摄取身体

需要的份量就好，并且选择在身体新陈代谢较快速的早餐和午餐时段食用，可减少免疫系统的压力，就比较不容易引起水肿。

一般来说，我会建议需要调整体质的人，在早餐的时候搭配两种水果，份量是 1/2 个或是 6 口，例如：苹果1/2 颗，美国葡萄 6 颗等等。午餐时，搭配 2 种蔬菜，份量是煮好之后加起来 1 碗。晚餐则选择非叶菜类的根茎花果类蔬菜，只吃 1 种，份量是煮好后的 1/2 碗。当然，不要忘记淀粉与优质蛋白质的摄取。这样的安排，人体一天所需的蔬果量，就已经非常足够了。

至于生冷食物，如果可以，也请至少一年，除了水果之外，不摄取生食，这里的生食连生菜沙拉和生鱼片也算在内哟。除此之外，从冰箱里拿出来的冰水、饮料和食物等等，请在室温下放置 15 分钟以上退冰后再食用。我想就不需要再强调女生爱吃的刨冰和冰淇淋之类的冰品也该绝对谢绝了吧。这一点对寒性体质的人来说，非常重要，一定要严格控制。

3、远离上火食物

　　阴虚火旺体质的人，除了严格执行摄取优质蛋白质，以及控制蔬果摄取量等调整寒性体质的饮食习惯之外，还得认真地忌掉让你上火的食物。

　　中医里的上火又分为"外火"和"内火"两种。外火指的是你吃进去的食物所引发的上火反应，内火则是指由情绪压力及熬夜所引发的上火。要解决外火问题，只要下定决心认真忌口即可。

　　如果你有口干舌燥、口臭、嘴巴苦或是嘴破、早上起床有眼屎，眼睛干、酸、痒，肤色黯沉、脸上有黑斑、身上容易长息肉等情形，这表示肝火旺。容易上肝火的食物首推辛香料，包含香油、沙茶、辣椒、咖喱、红葱头、麻油、油葱酥，以及各种食品添加物等等，所以举凡麻辣锅、麻油鸡、姜母鸭、羊肉炉、药炖排骨等等，都要避免。另外，坚果类如芝麻、花生、杏仁、核桃、开心果、南瓜仁这些食材，一般要想好吃，大多会用高温烘焙或炒制的方式处理，也因此都在上火食物之列，所以要尽量避免。另外，含花生的米浆也要一并避免摄取。

先前希望大家尽量不要过量摄取的属于寒性的水果类，其实也有不少成员会让你上火的，包括荔枝、龙眼、榴莲、樱桃等等，这些也都会上火，食前请三思。最后，大家日常生活中常饮的咖啡，以及市售的黑糖姜母茶，其实也都是容易让你上火或火上浇油的饮品，有上火症状时请避免摄取。

除了肝火还有肠火，症状有便秘（羊屎便）或腹泻，排便黏臭、唇干脱皮、下唇红、小腿皮肤粗糙干燥、手上提早出现老人斑等等。最容易引发肠火的就是蛋类制品了。除了各种禽类的蛋之外，以蛋为主要原料的各种加工食品，像皮蛋、咸蛋、铁蛋，还有蛋糕、蛋卷、蛋饼、泡芙、布丁、茶碗蒸、美乃滋、铜锣烧、蛋黄酥、蛋蜜汁、凤梨酥、牛轧糖、车轮饼等等，都是肠火制造机。还有蒜头、蒜苗、韭菜、韭黄等等常见的料理配料，以及虾子、虾米等甲壳类海鲜，也都是造成肠毒的元凶，想要拥有温暖体质的话，这些都非得割舍不可。

除了食物本身的属性之外，烹调的方式也有影响。我们习惯的料理方式中常用的大火快炒、油炸、烧烤，都会引起上火。自己下厨的人，建议改变一下炒菜的习惯，舍弃大火爆炒，改为先将锅子预热，再倒入油，以**温锅冷油**的方式炒熟食物。如此一来，在厨房里煮饭时不必像打仗，也能保住所有食材的营养素，更不会造成身体的负担，何乐而不为呢？

4、消除内火

至于内火，则是起因于晚睡与负面情绪，这个光靠饮食来调整就比较难了。

首先是晚睡。现代人最常见的状况就是睡太晚，不论是辛苦工作，或是和朋友一起玩乐，有时候甚至只是看电视、上网，就可以拖到半夜一、二点。长期下来，对身体来说是一大负担。

强烈建议十一点以前就上床睡觉，这段时间正好也是肝脏休养生息的时段，想怀孕的人更需要这样的作息。如果在准备怀孕的阶段就调整好作息，将来宝宝出生后，半夜哭闹的几率也会比较低。

引发内火的另外一个因素——负面情绪，往往也是处理起来最棘手的问题。大多数的人其实都用了错误的方法来宣泄情绪，以为疯狂血拼带来的短暂快乐就是发泄，以为和朋友把酒言欢，唱歌到天亮就是放松，以为工作了一天回到家中，眼睛盯着电视机放空就是一种休息，其实这些都无助于宣泄情绪，只是暂时转移一下注意力，反而让压力或负面情绪持续累积在身体里而已。

负面情绪所造成的内火在身体里累积久了，便会反映在不同的身体部位上。如果知道自己的身体如何被心理所影响，你就会发现这其实是件很有趣的事情，这也就是为什么我的很多咨商对象都说我"养小鬼"的原因，因为往往当他们把身体症状告诉我之后，我就能够推敲出他们的心理状况，然后他们就会把眼睛瞪得大大的，很惊讶地问我："你怎么知道？你是养小鬼了吗？"其实答案很简单，他们的身体出卖了他们的内心而已。

譬如说，如果压抑的是不安与焦虑的情绪，那么你就容易胃痛、胃闷胀、胃发炎、大肠激躁或是腹泻。如果总是压抑愤怒的情绪，则会反应在肝脏上，你就会有眼屎、容易有无名火、肤色黯沉、大便干结、胃食道逆流等身体症状。也有许多人的内火反应发生在上呼吸道上，出现如扁桃腺发炎、咳嗽不停、常常觉得喉咙有痰等症状，这通常代表着你心里存有某种恐惧。

以上所提到的种种症状，如果在看过医生后没有太大改善，可能你就要回想一下，最近是不是有些让你恐惧或愤怒的事情，你不敢或不愿意面对，借着压抑来逃避？不要再以为身体与心理互不相关了，当身体出现这些反应时，那便是对你提出的抗议或提醒，你就必须正视自己的内心找出根源，彻底地解决，才能获得健康的身心。

有肉、有菜、有淀粉，这样吃就对了

了解了食物对身体的影响，也知道如何选择适合自己的食物后，现在就要来教你怎么吃。

首先，第一个要遵守的就是三餐都要吃，而且每餐都必须有肉、有菜、有淀粉。

如此一来，淀粉、蛋白质与蔬果中的营养素，都能均衡摄取，而这些营养素，就像是重新启动身体的必备燃料，缺少了一个，就发动不起来，更别说要调整成温暖体质了。

所以不要惧怕淀粉，它不会让你发胖，它只会让你更有精神；不要害怕吃肉，只要选择油脂较少的部位，它并不会让你长肉，反而可以提供优质蛋白质，协助身体变温暖。还有，我在《择食》一书中就公开过的四帖养生鸡汤，也请想要怀孕的人，从现在开始将鸡汤加到每天的早餐中，每周一帖鸡汤，并且按照顺序逐周轮流。你的身体会在均衡饮食与养生鸡汤的滋养下，一步步朝着温暖体质前进。

如果你没有看过《择食》，我再将四帖养生鸡汤的食材和烹调方式公开如下：

第一周

炙首乌补气鸡汤

功效：补肝肾气

材料：鸡骨架 1 个、鸡脚 6 支、老姜 2 大块

药材：炙首乌 3 大片、黄精 3 片、参须 1/3 把（怀孕时抽掉这个）、枸杞子 1 把（所有药材煮前先冲洗过）

做法：

❶ 将鸡骨架与鸡脚汆水后备用，老姜去皮后备用。

❷ 老姜去皮拍扁放入装了 11 碗冷水的汤锅中煮滚，加入汆水后的鸡骨架与鸡脚。

③ 再放入所有药材，以中小火煮 1 小时。

④ 熄火后捞出鸡骨架、老姜与药材后，即可食用。

四神茯苓鸡汤

功效：安神、美白、消水腫

材料：鸡骨架 1 个、鸡脚 6 支、老姜 1～2 大块（建议可再加干香菇 6～7 朵，去蒂头）

药材：四神汤 1 帖（去薏仁，所有药材煮前先冲洗过）、茯苓 2～3 片（先剥成小块，泡水 2 小时后再煮汤）

做法：

① 将鸡骨架与鸡脚汆水后备用，老姜去皮后备用。

② 老姜去皮拍扁放入装了 11 碗冷水的汤锅中煮滚，加入汆水后的鸡骨架与鸡脚。

③ 再放入所有药材，以中小火煮 1 小时。

④ 熄火后捞出鸡骨架、老姜，药材不需要捞出，跟汤一起食用。

天麻枸杞鸡汤

功效：舒筋活络、加强气血循环（感冒及怀孕期间停用）

材料：鸡骨架 1 个、鸡脚 6 支、老姜 1～2 大块

药材：天麻 1 两、枸杞子 1 大把（所有药材煮前先冲洗过）

做法：

❶ 将鸡骨架与鸡脚汆水后备用，老姜去皮后备用。

❷ 老姜去皮拍扁放入装了 11 碗冷水的汤锅中煮滚，加入汆水后的鸡骨架与鸡脚。

❸ 再放入所有药材，以中小火煮 1 小时。

❹ 熄火后捞出鸡骨架、老姜，药材不需要捞出，跟汤一起食用。

第四周

清蔬休养鸡汤

功效：让身体休养生息

材料：鸡骨架 1 个、鸡脚 6 支、老姜 1～2 大块。可选择以下 1～2 种来制作蔬菜鸡汤，如胡萝卜、木耳、山药、菱角、皇帝豆㊟、香菇、杏鲍菇、莲藕、茭白等

药材：一般鸡汤不放药材

做法：

❶ 将鸡骨架与鸡脚汆水后备用，老姜去皮后备用，胡萝卜去皮切块。

❷ 老姜去皮拍扁放入装了 11 碗冷水的汤锅中煮滚，加入

注：皇帝豆旧时为朝廷贡品，又名圣豆、荷包豆、相思豆、状元豆、长寿豆等。

汆烫后的鸡骨架与鸡脚。

③ 起锅前 10～20 分钟，将蔬菜放入锅内（因蔬菜种类不同而有不同的烹调时间），以中小火煮 1 个小时。

④ 熄火后捞出鸡骨架、老姜，蔬菜不捞出，跟汤一起食用。

　　这四款鸡汤，制作过程并不复杂，只要按照步骤，即便是料理新手也可以轻松完成，另外，可以在烹调的过程中，视自己的口味加入适当的盐来调味。

　　学会了做鸡汤，也认识了一天三餐该吃的各种营养素，以及适合自己的食物后，那从今天开始，你的三餐就请按照以下的方式来安排：

● **早餐前空腹**：温姜汁。

● **早餐**：鸡汤 1 碗、淀粉适量、火锅肉片 3～4 片、两种水果（各 1/2 颗或 6 口）。

● **午餐**：淀粉适量，肉约 1/2 碗、2 种蔬菜，煮好加起来 1 碗。

●**晚餐**：淀粉适量，肉约 1/2 碗、1 种蔬菜，煮好后 1/2 碗。

　　早餐要吃淀粉？还要吃肉？这是很多人一时之间难以适应的改变，尤其是赶着上班的上班族们，不过，试着早一点点起床，把鸡汤、饭菜都放进微波炉或电锅后，就可以继续早晨的出门准备工作了，其实这是相当简单的，试试看，真的不难。

　　那么外食族群怎么办？我长期观察甚至亲自试吃市面上能够提供给外食族正确摄取优质蛋白的选择，我发现除了小火锅、摩斯汉堡的姜烧猪肉堡以及吉野家的猪肉丼、麦当劳的板烤鸡腿堡（请不要加酱）以及7-ELVEVEN的"姜汁烤肉"和"香草烤鸡"两款养生便当之外，其他的选择真是不多。吃自助餐时，除了挑选适合自己的食材外，也请准备一杯热水，所有菜色皆过水后再送入口中，一开始你可能会觉得这种吃法太麻烦，但是当你看到那杯充满浮油的水时，你就会明白自己过去吃进了多少对身体有害的东西。平常要是嘴馋，或是用餐时间还没到就肚子饿的时候，可以吃一碗红豆茯苓莲子汤，解决口腹之欲，还有消水肿的效果，可谓一举两得喔。

　　对于会上火的食物确实忌口，维持正常的作息，身体在短时间内的改变就足以让你大吃一惊。不过，建议想要怀孕的人，至少先花三个月到半年的时间调整体质，身体调养好再怀孕，对妈妈和宝宝都好，尤其是有鼻子过敏和皮肤过敏的人更别心急，为了宝宝花点时间做好万全准备，是值得的。

　　同时，也很建议先生陪着太太一起调整体质，尤其是不避孕超过一年以上，仍然没有怀孕的夫妻。先生可不要以为怀孕只是太太的事情，因为如果男生体质上火，精子的数量与品质都会下降，也会致使太太不容易受孕，所以如果能够夫妻俩一起调整体质，有个健康宝宝绝对不是问题。更何况，夫妻一起调养，还能彼此监督、彼此鼓励啊。

邱老师的好孕小提醒

怀孕前的准备事项：

■ 如果你的子宫肌瘤过大，而且每个月都有大量的出血，建议你先向妇产科医师咨询，看看自己适不适合怀孕，再做决定。

■ 如果拥有过敏体质，不论是鼻子过敏或是皮肤过敏，先将过敏症状稳定，至少三个月没有发作后，再来怀孕，否则宝宝可能也容易出现过敏的状况。

■ 从准备怀孕开始，就尽量不要穿高跟鞋。尤其是现代的女生，大部分都有骨盆歪斜或是脊椎侧弯的问题，穿高跟鞋只会让这些情形加剧，并且影响怀孕。

■ 想让身体变温暖，每天15分钟左右的泡澡或泡脚也很有帮助。泡澡请以半身浴为主，水的温度以不刺痛皮肤为准，没泡在热水中的上半身，则用热水反复淋着，保持温暖，也避免着凉。若家中没浴缸的话，泡脚也会有相同的效果，水深则是到小腿的一半即可。（有糖尿病、高血压、心血管疾病者不宜）

CH2
怀孕前期
0～12 周

■ 恭喜你！肚子里已经有一个正在成长中的胚胎，而你已经不再是一个人。虽然此时宝宝还非常小，但是此时的你一定要知道，你所有吃下去的食物、感受到的情绪，宝宝都会接收得到！所以你要持续维持饮食均衡，不要让宝宝吸收不好的东西，这样就不会有任何增重、害喜的状况，还能慢慢地将宝宝孕育长大喔！

调整饮食，零害喜达成

这章开宗明义告诉各位怀孕初期的各种准备，0 ~ 12 周的意思就是从"无"到"有"的这个阶段。

你从期待生命的到来，到胚胎真正地着床成功，一个新生命在你的身体里开始生长，你与这个即将成形的生命之间的互动，只有你一个人可以真正感受到，他（她）的心跳你会第一个感受到，而在你身体里的这个生命也能够感受你的心跳、你的心情、你所给予的温暖、你所滋养他（她）的养分……一切的一切，再也没有别的个体能够感受到你如同宝宝一样。

所以不难想像，从拥有并孕育一个生命的开始，你所有的选择，都不只是由你一个人承受而已，你肚子里的那个宝宝，也将跟着你一同承受你所有选择的结果。当你选择快乐，他就会跟着感受到快乐；你选择吃营养正确的食物，他就会有充足的养分而得以健康地成长。你将不只要为自己负责，更要为还不具备自主生存能力的宝宝负责。

说到这里，我想你应该已经做好善待这个小生命的心理准备了，也做好了正确的心理建设。如果按照我的方式把身体调养得温暖，根据我累积的咨商经验，花上一些时间调养后，多半都能顺利怀孕。如果你也是如此，那么先恭喜你，如愿以偿地将你的人生往圆满又跨近了一步。至于一些之前没有接触过我的养生方式的朋友，如果你是怀孕后才读到这本书，也不用过于担心，只要用心去做，随时开始调养身体都来得及，如同我常常鼓励大家的那样，追求健康这件事，只要肯付出百分之十，你就一定会获得百分之十，怎么样都比不做的那个零来得好。

有了宝宝以后的 Do & Don't

确定怀孕之后，做妈妈的在心情上难免会紧张，或异常兴奋，在刚开始迎接这个好消息时，这些必然的情绪是绝对可以理解的，但是妈妈要尽量告诉自己，平稳的情绪是你和宝宝都非常需要的，因此你要维持正常的生活作息，同时越是在这种时候越要让自己继续选择适合的食物来吃，而依据前一章节，你所判断出来的那些不适合自己的食物，你更要下定决心拒绝它们。

你可以告诉自己，这么做可不是为了别人，最大的受惠者是你自己，因为只要能够快乐开心地挑选自己该吃的食物，你就会有一个非常舒适的孕期。至于其他的好处，那真是族繁不及备载。当你阅读完这本书，你会了解到好好择食而吃，健康和美丽是会紧紧跟随你与宝宝的哟！

DO　**给怀孕初期的你的小叮咛：**

- ☑ 持续适量摄取优质蛋白质，每餐都有肉、菜和淀粉的饮食原则别忘记。
- ☑ 保持正常生活作息，记得 11 点就上床睡觉，将来宝宝才不会半夜吵得你不得安宁。
- ☑ 记得补充叶酸、孕妇新宝纳多。
- ☑ 增加钙质补充，1000 毫克的柠檬酸钙，三餐后各吃 1 颗。

Don't

☒ 别穿高跟鞋。高跟鞋会导致骨盆歪斜或使脊椎侧弯更严重，并且影响怀孕。

☒ 避免剧烈运动，诸如打球、跑步、剧烈的有氧运动都应停止。

☒ 四帖鸡汤中，第一帖鸡汤去掉参须，第三帖鸡汤停用，并且维持整个孕期。

☒ 泡澡或泡脚在孕期当中是被禁止的哟。

☒ 孕妇要避免提重物。

用完美公式计算你所需要的优质蛋白质

在我建议的饮食中，优质蛋白质扮演了很重要的角色，也是营养素摄取的重点之一。而随着怀孕周数的增加，蛋白质的摄取量，是需要跟着做出调整以确保提供给宝宝足够的营养。不过，在怀孕初期，蛋白质的摄取量，只要维持和未怀孕前相同即可，也就是大约一天约187.5克的肉。

这个数量是怎么计算出来的呢？其实很简单，是根据大家熟知的理想体重计算方式为基础去计算的。

举例来说，一个 160 厘米高的女生，理想体重就会是 50 公斤，公式是 160-110=50。而 50 公斤的人，只要身体一切正常，没有任何疾病或内脏器官功能衰退，一天所需的优质蛋白质约为 187.5 克。

也就是说每 1 公斤的体重，会需要约 3.75 克的蛋白质来支撑。因此，你可以算算看你自己的理想体重是多少，再推算出你所需要的蛋白质量有多少。计算方式如下：

（身高 -110）×3.75 克 = 你需要的蛋白质

掌握了一天所需的蛋白质总量后，接下来就是如何分配在三餐中了。假使你是个朝九晚五的上班族，每天可以在七点半以前吃完晚餐的话，那么一天所需的蛋白质，就以 2:2:1 的比例来分配在三餐当中。

如果你的下班时间较晚，在七点半前吃完晚餐简直比登天还难，那么就直接平均分配在早餐和午餐即可，晚餐就不要摄取蛋白质了，但是淀粉的摄取还是要保证喔。

至于优质蛋白质的来源，我强烈建议以肉类为主。举凡羊肉、猪肉、鸡肉、鱼类以及海鲜，都是很好的选择。在选择肉类时，还有个大原则，那就是"羊肉比猪肉好，猪肉比鸡肉好，鸡肉比鱼肉好，鱼肉又比海鲜好"。所以，尽量多吃质性较温暖的羊肉吧。

看到这里，相信你心中一定浮现出一个疑问，那就是，牛肉呢？牛肉应该也算营养的肉类，到底可不可以吃？答案是，不建议。在我的经验里，牛肉容易引发上火反应、口臭，以及导致妇科方面的发炎症状，所以，不建议大家吃牛肉。另外要特别提醒的是，如果有肾脏病史及痛风或尿酸过高者，优质蛋白质的摄取量也请征询专业建议。还有，本身有胃溃疡、胃胀、胃发炎情形的人，请务必忌口鸡肉一阵子，而有胆固醇过高情形的人，则要避开海鲜类，免得适得其反。

饮食也可舒缓轻微害喜

怀孕初期，最让准妈妈们备受挑战的就是晨间孕吐，也就是俗称的害喜。不过，按照我的方法调整体质而成功怀孕的孕妇中，到目前为止，还没有人在怀孕期间害喜呢，而这个零害喜的纪录，并不需要什么特别难的方法，也是依靠正确的饮食方式就可以达到了喔。其实害喜的成因，乃是因为怀孕初期，身体内的荷尔蒙失去平衡所造成，所以正确的饮食可以帮助体内运作正常，相对地对于稳定荷尔蒙也有帮助。不过，如果偶尔还是有轻微的害喜，也是有方法能够舒缓的。

　　首先，睡觉前准备一包苏打饼干，并且用保温瓶装一杯温开水，安置在床头，或是方便拿取的地方。隔天早上醒来时，先不要起身，只需要把头、颈稍微垫高至约45度角即可。在床上先吃3～5片的苏打饼干，每一片分成3～4口吃完，并且每一口都要嚼30下，一定要细嚼慢咽才行，之后再慢慢喝下温开水。吃完之后，再慢慢地坐起来，然后再缓慢地下床。如此一来，早上害喜的状况就会改善。其实，上一章提到的每天早上空腹时喝的姜汁，对于缓解害喜症状也很有帮助。

改变饮食，
就会有舒适快乐的孕期

刘佳语

年　　龄：33 岁
职　　业：行政会计
调养重点：怀孕期间的营养与健康、血液循环不良、易头晕、头痛
怀孕情形：宝宝四个月大，哺乳中

　　我结婚后一直很想怀孕，非常想生小孩，可是结婚三年来，始终没有动静，于是便开始尝试人工受孕以及中医治疗。也就是在这段时间，一位朋友在邱老师的调养下整个人变得容光焕发，她建议超级想要生小孩的我与邱老师联系看看。正巧和邱老师终于联系上时，我的肚子也终于有了好消息，因此第一次和邱老师做咨询时，我已经怀孕四个月了。

　　当时，我的牙龈肿胀，还有严重耳鸣，单耳几乎一整天都听不到声音，像是有个东西盖住耳朵一样。我单纯地

以为这只是因为怀孕身体而产生的变化之一，万万没有想到是和我吃进嘴巴里的食物有关。

记得当时听大家说，黄豆类食品有丰富的营养素，对宝宝发育很好，于是我不断地吃黄豆类制品。在饮食方面，我狂吃当时我以为对宝宝有帮助的食物，并且对所有资讯没有思考便照单全收，因为肚子里的宝宝，真的是盼了好久好久才获得的，我一定要好好照顾他，认真地把他养大。

同时，我的家人也很照顾我，每天早上都会帮我准备一颗鸡蛋，让我摄取到足够的蛋白质；而我又听说吃奶酪可以补充钙质，所以呢，我也在早餐的面包中加入奶酪做搭配。平常更是吃很多坚果类，因为这些东西都是很营养的呢。

但是，邱老师彻底打破了我对食物的迷思，也颠覆了我既有的孕期营养知识。

在检视了我的饮食习惯后，邱老师一一点出过去四个月我所吃的，那些我以为对宝宝好的食物，其实都不适合我的体质。例如，我的牙龈肿胀，就是吃了太多黄豆类制品所引起。

听着邱老师根据我填写的身体状况逐项解释，我好惊讶她的说法居然和大家一般认定的营养观念落差这么大！

首先，最大的改变就是不吃蛋。但是，蛋不是很有营养吗？尤其我超爱吃蛋的，更何况过去四个月里，我还每天一颗蛋呢！不能吃蛋，还真的是晴天霹雳。

"那蛋白质的摄取要从哪里来？" 我问邱老师。

只听邱老师不疾不徐地说：**"吃肉。而且烹调时间不要超过 15 分钟，你就可以摄取到优质的蛋白质。"**

天哪，吃肉！这是继不能吃蛋之后的又一个大问号。而且我从小就不爱吃肉，这对我来说真的是一大难题。还要三餐同时都有肉、菜、淀粉。而且每餐都要吃淀粉，大家不是都说摄取淀粉，只会胖到妈妈吗？

但是在听了邱老师的解释后，我明白了身体必须同时均衡地摄取各种营养素，各种养分相互搭配好，身体的运作才会达到最好的状态。我也渐渐明白，选择适合自己的食物，并且营养均衡，不偏食任何一种营养素，同时只需要摄取身体需要的量即可，如此这般，才是对宝宝最好的。

随后，邱老师在饮食清单上，针对我的体质划掉了好多食材，包括了我最爱的某些水果，当然，让我牙龈肿胀的黄豆类也得消失。

带着邱老师给我的食物建议清单回到家，其实有点忐忑，因为这和家人的饮食习惯差异颇大，而且不少是大家普遍认为是健康营养的食材，例如鲑鱼、豆浆等等，也被建议先不要吃。一开始家人觉得有点奇怪，不过我和老公慢慢地和家人沟通，逐一解释食物的特性，以及吃进不适合自己的食物，身体会有什么反应等等，最后大家也都慢慢接受了。我婆婆甚至到最后都不用蒜头炒菜，改用姜下锅了。

在所有邱老师删掉的食材中，让我惊讶的还有水果类。尤其我是个从小就爱吃水果，也深信多吃水果对女生皮肤好的人。

但是，没想到邱老师说："**你就是吃太多水果，身体才会这么寒。**"原本想说，好啦，那我少吃一点水果好了。正当我下定决心时，邱老师又把我最爱吃的水果荔枝，从清单上删除了，因为荔枝是上火榜上有名的水果之一。

　　我想起从前总爱买上一大把荔枝，回到家后，就跟妹妹一起边看电视边吃，两个人就这样一颗又一颗地把一整把都吃光，而我的家人也都很爱吃荔枝。一想到怀孕期间，正是荔枝的盛产期，我却不能吃，实在有点煎熬。

　　不过，我告诉自己要忍耐，实在忍受不了时，就离开现场，眼不见为净。我怀孕期间真是一颗荔枝都没有碰喔！

　　割舍掉了我最爱的荔枝与鸡蛋后，还得挑战我不爱吃的肉类，尤其是羊肉。
　　羊肉的味道特殊，不论怎么料理，我每次都得捏着鼻子强迫自己吃完。不过邱老师说，**羊肉可以让我生产时肌肉更有力量，为了生产顺利，为了宝宝，我还是会告诉自己，吃就对了。**

就这样按照邱老师的饮食建议吃了一个多月，我的牙龈肿胀完全消失了，而且耳鸣的状况也改善很多，从过去可能一整天都听不到的状况，慢慢变成只有半天听不到，甚至是只有几个小时听不到而已。而原本多梦的我，开始吃钙片之后，状况也改善了很多。

我对自己身体状况的改变感到惊讶，没想到光靠改变吃的东西，就可以改善怀孕期间身体的不适，真的是太幸福了，也觉得和邱老师真是相见恨晚。

接下来的一段接受咨询的日子里，我跟老公都很努力地执行邱老师的饮食建议，出门时，我们永远都吃小火锅，就连朋友聚餐也是，因为我想要有一个对宝宝好也对自己好的怀孕过程。

除了亲身体会到吃对食物后身体所给予的回报，以及完全没有不适的孕期之外，对于常常听到的朋友提醒的水肿问题，我更是从来没有担心过。

记得有一次我想买一双有气垫的鞋子，好让自己走路舒服点。卖鞋的店员看我是孕妇，强烈建议我买大一号的鞋子，原因是怀孕到后期，一定会水肿，鞋子就会穿不下了。没想到这时候我老公充满自信地说："不用买大一号，她一定不会水肿。"

后来我问老公，哪里来的自信？他说："只要你按照邱老师的建议，认真吃东西，我觉得你一定不会水肿。"事实证明，我真的一点都没有水肿。**没想到我的怀孕过程，可以破除大家对怀孕时身体出现一些症状的迷思，而且靠的只是饮食的改变而已。**

在怀孕的过程中，我的公公常会问我说，有没有哪里不舒服？肚子越来越大啦，生活上有没有哪里不适应的？不过，我的回答都是："没有，很舒适。"我公公还开玩笑地说："你很适合生小孩。"

听到公公说的这句话，回想起过去努力想要怀孕的过程，真的感触很多。

过去为了怀孕，人工受孕的治疗前前后后总共进行了三次。记得当时我必须每隔一天就打一次针，老公原本还担心我的身体会承受不了，但是其实我内心所承受的压力，比身体承受的压力还要大。特别是每次结果揭晓的时刻，原本饱含期待的心情，却总是落空。事前医生们总是说，我还年轻，成功几率有 50% 以上，但是，每次的结果都会落空，我也每次都哭得好伤心。

后来我转而寻求中医的协助，我老公怕我没耐性，最终会半途而废，便跟着我一起吃中药，两个人都借着中药来调养身体。但是看了中医不到三个月，我受不了漫长的等待，无法接受不知道什么时候会有结果的煎熬，又去进行了一次人工受孕。

没想到，这次的结果更让人伤心。起初受孕成功了很开心，但是两个月过去了，宝宝一点长大的迹象都没有，医生最后决定让我吃 RU486，排掉这个宝宝。吃了那个药，真的好痛，痛到我得在家里躺上一整天，身体和心理都受到伤害。这次受孕失败后，我又回到中医师的怀抱，继续按照中医的方式调养身体，希望能够成功怀孕。

现在的我，有了一个可爱的宝宝，正在哺乳当中，而且奶水充足，冰箱里已经有了一个多月的存粮。我的宝宝甚至在出生一个多月以后，就已经可以一觉到天亮，也没有肠绞痛的问题。对我这个新手妈妈来说，这真的是很大的福气，我想这应该和怀孕期间正确的饮食与正常作息有很大的关系。

现在，我想着要再怀下一胎，也打算喂母乳满六个月后，再度和邱老师碰面，因为我还想再生一个宝宝！而且我相信**按照邱老师的调养方式，我不必再经受打排卵针或中药调理才能怀孕的漫长过程。**

邱老师的好孕小提醒

怀孕初期的你要注意：

■ 不要因为怀孕就让自己有借口大开"吃"戒。因为已经怀孕的你，不管吃下任何东西、做出任何选择，都是你和肚子里的宝宝两个人共同要承担的。

■ 摄取适量的优质蛋白质，是让宝宝健康成长的重要关键，千万不要忽略。而给宝宝最好的爱，就是不偏食任何一样营养素，同时要只摄取对身体好的食物。

　　■　正确的饮食习惯，可以让你免去害喜之苦。因为害喜是荷尔蒙分泌失调的症状，而上火则是造成内分泌失调的元凶之一，只要调养得宜，你可以有个舒适的怀孕过程。

　　■如果害喜了，千万不要特吃猛吃，或者用不当的方法抑制想吐的感觉，使用正确的方式才能真正的舒缓害喜，多吃的那些食物只会给你的身体带来更大的负担。建议你可以把姜汁加热开水稀释，再加一点二号砂糖（蔗糖第一次结晶后所产的糖），服用温姜汁可舒缓害喜的呕吐感。

CH3
怀孕中期
13～24周

■ 现阶段的你，是否已经习惯和肚子里的宝宝一起呼吸、一起心跳了呢？从这个阶段开始，宝宝会加速成长，因此你应该开始调整饮食量和营养素，体重也会开始产生变化。但要记住，千万不要因此就大开吃戒，还是要精准控制体重，这样才能维持良好的体态和健康的身心啊。

增量摄取蛋白质和胶质，精准地管理体重

怀孕进行到第 13 周，肚子已经慢慢变大，到了让人一眼就能看出你是个准妈妈的阶段，甚至还得开始打点自己的孕妇装了，相信此时的你，应该已经习惯了身体里有个小生命跟着你一起呼吸并茁壮成长。

在这个阶段，宝宝长大的速度开始加速，大约从 20 周开始，你会感受到宝宝的动静，而这一点一滴的胎动，正是你亲爱的宝宝在跟你打招呼，你可以更明确地感受到宝宝的存在。所以，更要谨慎地挑选吃进嘴里的食物，如果你一直都认真地忌口，那么请继续维持；如果偶尔有偷吃或是贪嘴的情况，那么请想一想，你所吃进的每一口食物，都是宝宝的养分，即便只是一小口，都直接关系到宝宝的

吸收。如果吃进对身体不好的食物，你的身体会吸收，肚子里的宝宝当然也会吸收到这些上火或寒性食物的不好成分啊！所以，对于该忌口的食物，一定要坚持拒吃；而必须摄取的营养素，也一定要继续认真吃，坚持下去！

开始增量摄取蛋白质

基本上，要吃哪些食物，该怎么作息，都和怀孕前及怀孕初期的体质调整相同，唯一不同的是，优质蛋白质在这个阶段必须增量摄取。

蛋白质是生命成长过程中最重要的营养素之一，而怀孕进入中期，不只是妈妈需要养分，宝宝对于营养的需求也大幅增加，因此，每天摄取的蛋白质要增加50%。

现在请回想一下前面教过你的蛋白质摄取计算公式，按照你所需的蛋白质量加上50%，便是你在未来3个月中，每天必须要摄取的优质蛋白质数量。

以160厘米高的女生来说，怀孕初期需要的蛋白质量为一天约187.5克；进入到中期，必须增加约94克，也就是说一整天必须摄取总量约 281 克的肉类。或许你对这些数字没有概念，或许你已经很了解这些数字代表多少分量，这样乍看之下好像很多，不过分配到三餐之中的话，其实刚刚好呢。

如果你可以在晚上七点半前吃完晚餐，请依照 4:5:4 的比例把一天之内该吃的肉类，分配到三餐之中。即早餐约 113 克的肉类，午餐约 94 克，晚餐约 75 克。

如果你真的没办法在七点半前吃完晚餐，那么，就把增加的肉类平均分配到早餐和午餐中，早餐和午餐的肉类都要达到约 131 克。或选择在下午吃一块去皮的炸鸡，把晚餐所需要摄取的蛋白质，移到下午这个时间段吃掉。在白天把肉类吃掉，身体也有充裕的时间来消化和吸收。

胶质成为饮食菜单里的重要角色

接下来，要登场的是从现在开始要加入你的饮食清单中的重要营养素——胶质。

多补充胶质，可以让你的肚皮增加延展性，在肚子慢慢被撑大的过程中，可以减少妊娠纹的出现。而胶质存在于哪些食物中呢？除了大家熟悉的猪脚以外，鸡脚、牛筋、猪皮以及海参，都含有丰富的胶质。胶质跟其他营养素比起来，有一个好处就是耐久煮，不会因为烹调时间过长而导致营养素流失，因此我们可以用卤的方式来料理，既能吸收到营养同时也可以享受超级美味。所以，卤味摊所贩售的东西呢，几乎只有这种耐久煮的胶质类食物可以吃，其他大部分都属于会引起上火的食物或是劣质蛋白质喔。但要记得从卤味摊买回的卤鸡脚要先过一下热开水后再吃，因为卤汁里可能会有香油或其他引起上火的辛香料。

另外，你可别选择市面上加了很多辛香料的卤包来料理，别忘了大部分的辛香料都会让你和宝宝上火。**最佳的卤汁配方，就是先把老姜去皮拍扁，再加入清酱油与些许的水。喜欢肉桂的人，可以加点肉桂粉或肉桂叶增加香气，再加一点糖和米酒，一起和材料下锅炖卤。这种简单的卤汁制作方法，就能变化出一道能补充营养又能维持身体温暖质地的菜肴，让你轻松端上桌。**

至于该吃多少呢？建议准妈妈每周至少要补充 3 次胶

质，每次大约 1/2 碗。以猪皮来说，大约是巴掌大的大小就可以了，大一点的鸡脚差不多 2 支的份量就很足够了。

除了蛋白质和胶质的增加之外，钙质的摄取也切记不能间断，也请你在睡前增加 1000 毫克的柠檬酸钙一颗，这能让你有个安稳的好眠。

至于蔬菜水果的摄取量，可别跟着加倍，维持原本的份量就好。除非怀孕中期出现排便比较不顺畅，或是便便比较硬的状况，可以在午餐或是下午四点以前，多吃一份水果。当然，这边所指的一份水果，是 1/2 颗或是 6 口，小心不要吃多了，因为吃太多蔬果很有可能会造成水肿，或因体质变寒而让免疫力下降。

以上就是在怀孕中期需要加量的营养素，是不是很简单就能掌握呢？为了你和肚子里的宝宝能拥有健康的身心，请继续加油！

不是要吓你，孕期增加 8 公斤才是刚刚好喔！

现在，我们来看一看体重。在我调理的孕妇中，前面三个月其实都不会增加体重的，体重是在进入到第四个月之后才开始增加。所以，你现在的体重比怀孕前增加多少了呢？

所以先让我们细数身体过重的后果：如果体重增加太多，过重的宝宝对妈妈其实是一大负担，会增加生产的难度，更别说还有可能引发孕妇出现高血压、糖尿病等症状。因此，适当地增重，不只是可以让宝宝健康，妈妈也能神清气爽。所以控制体重的问题，不只是牵涉到宝宝的重量而已，也关系到母体的健康，如果没有正确的饮食方法，就有可能会胖到妈妈身上。

至于孕期该增加多少重量才是正常呢？通常在西医门诊中，正常情况下妇产科医生都会建议体重增加 10 公斤左右，但是，我认为的孕妇增重标准是：8 公斤。没错，就是 8 公斤，你没听错，也绝对不会太少！

而且从怀孕到生产的过程当中，这 8 公斤还有严格的分配控管。首先，怀孕的初期三个月内体重不应该有所增加。

从第四个月开始，以每一个月增加 1 公斤为标准。到了最后两个月，宝宝可能会体重增加得比较快，就算一个月增加 1.5 公斤也没关系。总之，最好不要超过 8 公斤就对了。到目前为止，我所调养的孕妇当中，普遍增重都在 8 至 10 公斤左右，每个宝宝也都是体重在 2800 克~3100 克的健康宝宝。不要以为这个目标很难，事实证明只要你按照我的建议，确实忌口、作息正常，你也能办得到。

至于怀孕前三个月，体重为何不应该增加呢？其实，怀孕前三个月受精卵在子宫里其实还只是一颗小红豆大小而已，这时候体重如果增加，真的就是妈妈的问题了。而且体重的增加，多半因为水肿的关系。因为怀孕初期的妈妈，体内荷尔蒙不平衡，或者营养摄取不均衡，都会引起水肿；也常见到有些情绪不平衡的孕妇，会在怀孕期间过量摄取一些上火的食物，如土豆片、爆米花等等，或者迷信大量的生菜水果可以让宝宝皮肤好，如果这样不根据自己的体质正确进食，最后的结果当然就是水肿啰！

所以，怀孕初期体重没有增加的妈妈，就表示确实做到了正确饮食及作息，别再把怀孕当做吃东西的免死金牌了，妈妈的身体状况和宝宝息息相关，切记这点准没错！

你最害怕的妊娠纹，从此刻开始驱离它

经历辛苦怀孕过程的妈妈们，身体产生了剧烈的变化，而最大的改变莫过于这个过程中被撑大的肚皮，几乎每个妈妈或多或少都会有一些妊娠纹，这个所有的女生都害怕留下的身体印记，往往会毫不留情地破坏皮肤的美观，有的人甚至从此和比基尼、迷你裙说再见。所以，在肚子开始变大的怀孕中期，不管你选择了哪个品牌的除纹霜、滋养乳液，此时此刻就可以开始使用了，不要等生完卸货了才开始擦拭，那时早已错过了最佳时机。

最佳的除纹滋养乳液的涂抹时间，是在洗完澡后或是睡前，针对变化最大的肚皮进行涂抹，一边涂抹的时候，也可以顺便跟宝宝说说话，培养你们之间的感情。身体的其他部位，也可能会因为怀孕使皮肤状况发生改变，所以第二个要照顾的部位便是胸部，如果胸部这段时间大得很快，记得胸部皮肤也要擦点除纹霜。此外，腰侧、腰后、大腿内外侧、腹股沟、臀部和臀部下方，都要记得一并进行保养，这些地方也会因为孕期产生一些变化，想要卸货后还有跟少女一样的皮肤的话，就不要轻视对这些地方的细节保养。

每个部位在涂抹时都可以加入按摩手法强化营养成分的吸收，接下来就用肚子这个部位做示范，告诉大家如何利用简单的手法，达到皮肤保养与舒解压力的双重效果。记得身体的其他部位，也要比照这个方法操作喔。不过，一旦皮肤发现异状或是有任何不舒服，就应该要立刻停止，并且请教专业医师才行。

肚皮舒缓除纹按摩

　　开始按摩前，可先做几个深呼吸，让自己放松，也可以把双手手掌搓热，再涂上自己惯用的除纹霜。

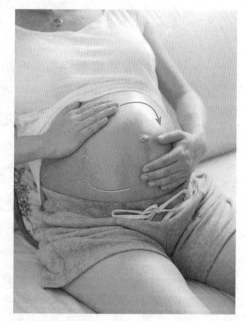

　　❶ 双手手掌交替，以顺时针的方向，绕着肚皮涂抹除纹霜，持续打圈按摩约3～5次，让除纹霜得到很好的吸收，手掌的热度与皮肤的抚触，也有助于让你和宝宝都得以舒缓。

　　❷ 接下来照顾下腹部，双手交替，由下腹部往上

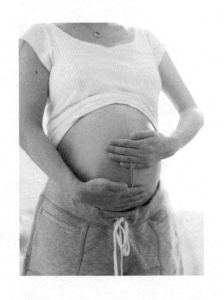

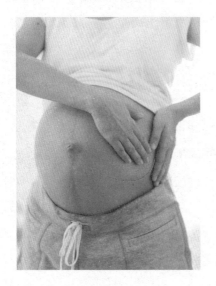

抚滑到肚脐处，也是重复约3～5次。

❸再由肚子两侧往肚脐方向轻推抚滑，重复约3～5次。

整套的肚子按摩手法大约用时10～15分钟左右，最后也请将双手轻柔地安放在肚子上，以此作为按摩的尾声，同时感受一下宝宝和你的互动，并趁着这个时候，和宝宝说说心里的话，将你满满的爱传递给宝宝。不要以为宝宝只是个胚胎或是根本听不懂话语就不跟他（她）沟通，我相信胎儿是有灵性的，只要你用心传达、用爱去表达，你肚子里的宝宝一定能够感受到你的爱。

孕妇必看的生活保养禁忌

在怀孕期间，除了饮食方面的选择，也可以用按摩来照顾自己。适当的按摩，可以舒缓紧绷的心情和肌肉，而且通过皮肤的抚触，也可以和肚子里的宝宝产生互动，这也是种很美好的胎教啊。

孕期间的按摩，你可以自己动手，也可以请老公或家人协助。在下一个章节，将会有为准妈妈量身打造的按摩建议，但是，在这之前要事先说明的是，某些特殊情况下，是不适合在怀孕期间进行按摩的，请你在开始按摩前，先确认自己是否有以下情形。

绝对不能进行按摩的状况有：
◎ 怀孕前 12 周不宜按摩。
◎ 有流产或早产史的不适合在怀孕期间进行按摩。
◎ 子宫颈闭锁不全、前置胎盘和胎盘剥离者，忌按摩。
◎ 怀孕期间有糖尿病、高血压与妊娠毒血症者，不宜按摩。
◎ 静脉曲张严重者，不适合孕期按摩。
◎ 肚子饿、刚吃饱或是有严重负面情绪时，不要按摩。

◎ 影响怀孕的部分穴位，严禁按摩。

按摩过程中，也有些必须加倍小心的地方：
◎ 怀孕最后一个半月，按摩力道不宜太强。
◎ 乳房、腹部、脊椎以及关节足踝，这几个地方不可以大力施压。
◎ 按摩时避开伤口、皮肤红疹或有感染的部位。
◎ 按摩过程中，如有任何不适，马上停止。

除了按摩，前面的章节从一开始就告诉大家怀孕期间要停止泡澡或泡脚，这让许多爱泡澡的妈妈大呼可惜。因为，怀孕期间泡澡或泡脚的热水产生的刺激，可能会导致孕妇体温升高，而产生晕眩等不适的症状。所以，还是得三令五申地要大家别泡澡了，等宝宝平安出生后，再重回浴缸的怀抱吧！

邱老师的好孕小提醒

按摩时要避开的穴位:

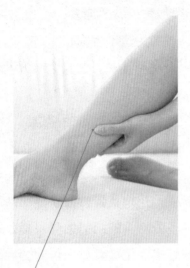 

● 三阴交:活血通经,有可能造成流产

● 合谷穴:按压会促进催产素的分泌,可能会引发早产

按摩指导示范:玩。疗愈
Kaya Wang
kayawang.massage@gmail.com

*腹部穴位、乳头和大腿内侧均属敏感部位，不要加以刺激

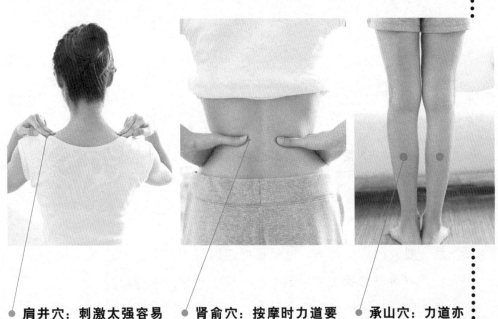

肩井穴：刺激太强容易
使人休克，亦对胎儿不利

肾俞穴：按摩时力道要
温和，不宜施压

承山穴：力道亦
需轻巧，不可施压

高龄怀孕不害怕，确实忌口就对了

王小姐

年　　龄：37 岁

职　　业：销售

调养重点：调养成可以生宝宝的体质，改善头痛症状

怀孕情形：宝宝四个多月大，哺乳中

　　就一般人的认知而言，或是根据西医对于怀孕年龄的界定，我和老公想要生宝宝的年纪，确实会让大家捏把冷汗。年龄大了，可能会不容易受孕，也可能在怀孕期间或是生产时，比年轻的孕妇更加辛苦，或存在着更多的风险。**这些大家通常以为会发生的高龄产妇状况，我可以很骄傲地说，在我身上一个都没有发生过。**

　　整个怀孕的过程，我没有害喜，没有任何不舒服，不会大吃特吃，更不会因为挺着大肚子而行动不便，刚生完一个星期，我就恢复到怀孕前的体重了，跟我的同事惊天

动地的怀孕过程相比，我简直是平和得不得了。

　　而我所做的最彻底的一件事情便是，该忌口的食物彻底忌口。我也相信，这是让我这个高龄产妇，舒适稳定地度过孕期与生产的最大功臣。

　　不过，说实在的，忌口真的是一项艰巨的任务。首先，得理解各种食物的特性，明白哪些食物适合自己，哪些会让身体上火或太寒等等，我和我老公确实花了点时间来习惯与适应。好啦，我必须坦承，因为上班比较忙，我们又几乎餐餐外食，比较少在家里自己下厨，实在很难按照邱老师的建议做到每餐都有肉、菜和淀粉，不过，每天早上的鸡汤，我可是乖乖地喝喔。

　　虽然每次咨询都还是会被老师念叨："优质蛋白质摄取得不够，这样不行。"但是，当我们开始不吃蛋以后，身体的改变已经让我大呼："真是太神奇了。"

　　相信很多人跟我一样，每天都要吃上一颗蛋，因为从小就被灌输这样的营养观念。并且自己也认为，这项食材是百分百营养的，对身体是有益处的。

不过，自从舍弃了每天早上都要吃一颗蛋的习惯后，我的精神居然变好了，而且每回月经来时我都得因为剧烈头痛而请假的问题，也完全消失了；经常性的腰酸也改善很多。我老公的过敏也逐渐好转。甚至，我再也不必去美容院报到做脸了。**没想到跟邱老师做养生咨询，还可以省下一笔脸部保养费用，真是一举数得。**

举凡和蛋有关的东西，例如，面包、蛋糕、蛋卷等等，我都严格把关，绝对不吃。我会特别看一下面包的营养标示，只买没有添加蛋的吐司回家，办公室的同事们，偶尔也会切个蛋糕或买个小甜点给我吃，想慰劳一下我这个辛苦的准妈妈，也都被我严正地拒绝。虽然心里会觉得这样真是对不起同事们的好意，不过我还是坚信只能吃对自己身体好的东西，特别是我已经这么高龄才怀孕，更是不能马虎轻怠。

除了蛋之外，我百分百忌口的，还有邱老师再三叮咛的黄豆类制品。我可以保证，整个孕期，我一口豆浆都没喝。虽然认为豆浆很营养的家人，偶尔还是会好心劝说一下，希望我可以多少喝一点，说是会让宝宝的皮肤会比较白嫩，对妈妈也很滋养等等。不过，我不喝就是不喝。因为我相信邱老师的说法，黄豆类制品与我的胃火有关，会造成我身体的不适。

另外，我必须要忌口的还有鱼类，这是针对我的子宫肌瘤问题。老师特别交代的。我如果吃太多鱼的话，很有可能会同时养大宝宝和肌瘤，这怎么可以呢！当然要坚决地拒绝鱼肉。我原本担心会影响怀孕的肌瘤，一直到我生产完，都没有变大或是影响到宝宝，真的让我安心很多。

一时之间，我突然认真忌口，有了这么多不吃的东西，也有了很多过去从来没有过的饮食原则，在和朋友相约聚餐时，坚持要吃小火锅和寿喜烧，逼着大家陪我。这么大的改变，难免会引来朋友的关心和询问，担心我在怀孕期间，都还傻傻地惦记着减肥，大家纷纷跟我说："不必这么辛苦啦，我怀孕的时候还不是什么都吃。"或是："偶尔吃一点没关系的。"其实，我这么狠心拒绝那些食物，全都是为了宝宝好，况且忌口之后，我自己的身体状况也跟着变好了，一点也不痛苦，当然要继续忌口并维持下去啊。

其实一开始的时候，我们真的没想到光是做到忌口这件事情，就可以有这么明显的改变，如果真的确实遵守其他饮食建议的话，应该会有更棒的效果。

回想整个怀孕过程，除了初期还没稳定时常见的出血问题稍微让人担心之外，就是多了一个大肚子，其他真的一点都没变，不论是身体还是生活上，我都没有任何负担或不适。

我自己的这个舒服的孕期，和我那位各种不舒服都一起出现的孕妇同事，真的是天壤之别。所以啰，我买了一本邱老师的《择食》送给她。她按照邱老师的建议改变吃东西的习惯后，皮肤就不痒了，身体也因此变得敏锐，只要再吃到不适合的食物，皮肤就会立刻过敏。

另外，有个朋友的宝宝有严重的皮肤过敏，我和她分享不吃蛋的心得，她也试着让她的宝宝开始不吃蛋，听说过敏状况也改善很多。这些忌口心得，没想到不只帮助我度过了漫长的怀孕过程，也帮助了我身边的朋友们。

对了，关于忌口，别忘了坐月子的时候，还要坚决不碰麻油鸡！

本来麻油鸡是东方人坐月子必吃的补品，邱老师再三告诫我，一定要事先就跟家人沟通好，不吃麻油鸡，因为实在太上火了。原本以为沟通会很困难，但是，因为我的家人全部都跟老师咨询过，比较能理解食物和体质之间的关联，婆家也很习惯我在开始咨询后，有些东西会忌口，因此，当我说不吃麻油鸡的时候，大家都很能接受。我也特别叮咛月子中心，在我的三餐中拿掉鸡蛋、海鲜、麻油类等食材。

　　还有一个让我大呼神奇的地方，便是体重恢复的速度。我生完宝宝一个星期后住进月子中心，当我量体重时，就已经恢复到怀孕前的重量：50公斤！也就是说**在怀孕期间，我所增加的重量全部都在宝宝身上，一点都没有胖到自己。**

　　不过呢，邱老师还是对于我怀孕期间的体重控制很不满意，因为整个孕期我增重了10公斤！以邱老师对于孕妇增重至多8公斤的标准来看，我真的是超过太多了。每次咨询都被邱老师大念特念。如果再给我一次机会的话，我应该可以达到标准啦。

　　我最后因为担心自己年纪大了，怕生到一半会没力气而选择了剖腹产，没能体验到自然产的过程。除此之外，整个怀孕的过程，我还是觉得很神奇。想想看，一个小小的宝宝，在肚子里一天一天长大，生出来的时候，看着小宝宝健健康康的，会觉得怀孕生产是一件很奇妙美好的经验。

虽然在邱老师眼里，我真的是个不太乖的孕妇，但是鸡汤我真的是很认真地喝，也很认真地忌口，我想也正是因为如此，我才有个舒适的孕期，还有一个好健康的宝宝。谢谢邱老师！

CH4
怀孕后期
25 ～ 36 周

■ 到了怀孕后期，饮食并不需要有太大的调整。但是，这时候有个很重要的课题，就是要开始为泌乳提前做暖身准备。这个重要功课千万不能发懒，不然日后你肯定会后悔莫及！当然啰，这个单元还会告诉你一些舒缓水肿的按摩妙招！

为泌乳提前做准备，别怕不能哺乳

随着胎儿日渐在肚子里长大，妈妈需要的营养会跟着越来越多，进入怀孕后期，妈妈必须要吃得更多。除了刚刚提到的，在这个阶段要为快速长大的宝宝提供足够的营养之外，同时也要开始为产后的哺乳预先做准备了。

所以在这个阶段，优质蛋白质和胶质都需要比前一个阶段再增加一些。

优质蛋白质，比起怀孕初期要增加一倍，也就是说原本一天要吃进约 187.5 克，怀孕中期增加到一天要吃约 281 克，现在到了后期，一天的优质蛋白质摄取量，就必须增加到 375 克才够。

每一天摄取优质蛋白质的分配方式，同前面一样要按比例分配到三餐里。可以七点半前吃完晚餐的人，早餐的肉增加到约150克，午餐和晚餐的肉量，则是各约112.5克。无法七点半前吃完晚餐的人，那就早餐和午餐平均分配，各吃约187.5克。另外，如果可以，最后这几个月，进食的肉类尽量多选择羊肉，因为羊肉中有左旋肉碱成分，可以增加肌肉的耐力和爆发力。这股力量，在你生产的时候就会派上用场了，所以请认真吃羊肉吧。

　　在我咨询的对象当中，部分孕妇对于吃肉这件事情，本身就不喜欢，到了要再增加肉量摄取的阶段，偶尔会觉得一天要吃这么多肉，有点吃不消。其实，只要在料理方式上多做点变化，你就不会这么容易感到厌烦了。料理方式有很多种，首先你可以往肉片上淋些姜汁酱油直接放进小烤箱，烤好之后还会有香喷喷的肉汁淋在饭上，这样的吃法相当下饭，不会让你觉得有负担；当然也可以和蔬菜一起下锅拌炒，香味四溢的菜肴会让你口水直流；或是把肉片在鸡汤中涮一下，也很美味。多点巧思变化，让自己的三餐变成一种享受，不但吃进对的食物，还吃出一番新滋味，这份愉悦肯定也能传达到宝宝那边，他（她）也会跟着你一起开心。

前几个月为了增加皮肤的延展性增加的胶质，其实也有助于泌乳，在怀孕的最后阶段，胶质的补充可以增加至一周4～5次。其他的食材份量维持原来的份量即可。

另外，最后的这段日子里，对于可能会引起上火的食物要严格禁止，因为引起上火的食物，容易让身体上火而造成肌肉紧绷，临到生产时会让产道失去弹性；此外，也会让宝宝上火而产生黄疸。所以，我要不厌其烦地再说一次，"请远离上火的食物"（重点！重点！），并且控制好内火，维持正常作息与好情绪。这样你就会有一个零黄疸的宝宝。

谁说怀孕一定会水肿？

相信大家一定都听说孕妇到了怀孕后期，因为水肿而必须买大一号鞋子的故事，许多人都认为怀孕水肿是天经地义的事情，好像每一个孕妇都一定会水肿。但是，我在这里要告诉大家，如果用心摄取足够的营养素，按照每餐都有肉、菜和淀粉的原则进食，再小心避开上火的食物或料理方式，怀孕根本就不会水肿。

我所调养过的孕妇，几乎都不会为了水肿这个问题而感到困扰。需要买大一号的鞋子？这件事情当然也不曾发生过，所以，水肿并不是怀孕的必经过程，相信我，你可以不必经历的。当然如果不水肿，损失也是有的，那就是少了多买两双鞋的借口。不过你难道要为了多买两双大了一号的鞋，而让自己看起来臃肿不堪，甚至还要饱受水肿带来的种种不适吗？

　　如果按照我建议的方式做了，却还是有水肿，那么请重新回头检视一下自己最近的饮食，根据以下的几个问题，请好好回想一下有没有这些情形发生，如果有的话，快快改正就能改善水肿了。

检视下列问题，远离水肿：
■ **优质蛋白质是不是吃太少了？**
■ **有没有在下午四点以后吃叶菜类或水果？**
■ **蔬菜水果，是不是不小心吃过量了？**
■ **水分的摄取是否过量或不够？**
■ **目前身体是否正处于上火状态？**

　　一般正常摄取水分的量和时间，应该是从早上起床到晚上九点以前，冬天时摄取 1800 毫升，夏天摄取 2000 毫升。晚上九点以后如果口渴，喝水的方式是，一口水含在嘴里慢慢吞下去，过一会儿觉得渴再含一口水慢慢吞下去。正确地喝水，应该是一次 2~3 口慢慢喝，不是一口气咕噜咕噜喝下肚。

如果已经发生水肿，除了重新调整吃进去的食物之外，我们也可以借由外部的按摩来减缓水肿带来的各种不适。这个时候，是你请家人或老公参与怀孕过程的好时机，请他们来帮你做一些简单的按摩动作，既可以增进感情，更可以让他们觉得自己对你肚子里的宝宝也是照顾到了，对新生命有所贡献。

首先，请平稳地坐在床上、沙发上或是铺了软垫的地上，在双手可以触碰到脚底的状况下，以最舒服的姿势坐好。准备好了之后，可以把一点平常惯用的乳液或按摩油涂抹在手上，增加肌肤之间的润滑。

消水肿按摩步骤:

① 先从左脚脚底开始,找到前脚掌下缘的中心点,用拇指指腹轻轻地在这里以揉按的方式按摩,大约3~5次。(图❶)

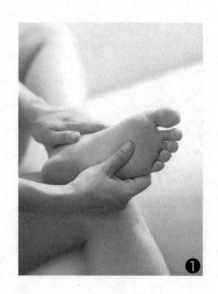

② 接下来是脚跟内侧。同样以拇指指腹,从脚跟内侧往脚趾头方向轻轻推揉到足弓处,再重新回到脚跟内侧,往前推揉,大约3~5次。(图❷)

③ 最后,从脚踝处开始,用手掌轻轻地由下往上,为小腿进行按摩。力道务必轻柔,就像是平时擦乳液般,轻轻抚触即可。进行次数也是约3~5次。左脚按摩完后,就可以换右脚了。(图❸)

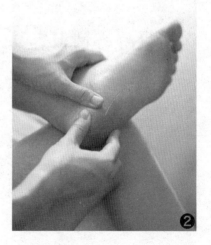

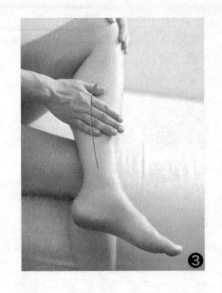

如果你的水肿只是暂时性的，也许只是今天站太久了，或是裤子太紧而造成的，这种水肿会自行消失，当然也可以借着消水肿按摩来加以舒缓。不过，要提醒的是，怀孕期间的按摩力道要非常轻柔，因为脚部有不少会影响到宝宝的穴道，过度地按压可能会造成不适，这是和一般未受孕的人不一样的地方，请孕妇特别注意！

保持良好心情很容易

怀孕期间，准妈妈除了外形上的改变，体内剧烈的荷尔蒙变化，也常常让大着肚子的妈妈心情低落或忧郁，如果不认真地补充钙质的话，忧郁的情形会更严重。钙质具有安定神经的效果，找我咨商的很多人，或者说，很多现代人都有过于焦虑、没耐性或是易怒等特性，那么补充钙质就是很重要的一个课题。

怀孕过程真的很不简单，因为荷尔蒙会经历很大的变化，当发现自己有严重的情绪变化时，请先告诉自己要放轻松，想想肚子里那个完全正在依靠你一点一滴地成长的宝宝，如果你不开心，肚子里的宝宝也快乐不起来的。当你心情不好的时候，你可以试着想像宝宝将来出生时的可爱模样，你也希望宝宝是一个爱笑的 baby 吧？如果你不常笑，宝宝就也不可能常常笑啊！这就是所谓的胎教，你可以决定宝宝的一切，就连情绪也是一样，所以一定要让自己当个开开心心的准妈妈。

我也建议怀孕中的妈妈，尽量去听一些可以让自己放松和开心的音乐，多看充满欢乐的电影，尤其是近年来推出的几部好莱坞动画片如《马达加斯加》、《快乐的大脚》和《冰河世纪》等等，这几部动画片的剧情既温馨又幽默，是舒缓心情的好选择。一个很简单的原则就是，绝对要杜绝接触可能引起自己感伤或者忧郁的事物，相反要多接触让自己心情愉快的事物。所以，就算你只是孕妇身旁的伴侣，也要特别注意这点，因为孕妇很需要一个具有稳定情绪的人来照顾。

你也可以在怀孕的最后一个月补充月见草油 (EVENING

PRIMROSE OIL），它能稳定体内的荷尔蒙，这样你的心情起伏也会比较平缓，摄取量大约是每天 1000 毫克，早餐后吃就可以了。不过，服用月见草油时请注意，如果服用后明显感觉到子宫收缩较强烈或有点状出血，就请停止服用。

邱老师的好孕小提醒

怀孕后期的注意事项：

■ 即使到了产前，饮食的大原则都不需要改变。唯一要改变的就是蛋白质和胶质的摄取量。所以不要吃太多误以为会让皮肤变好的水果，这样做只会让你身体变寒。

■ 学着吃羊肉。羊肉性温，对于临盆时需要的体力有很大的帮助，也是所有肉类当中我最推荐的蛋白质。

■ 怀孕期间你不必因为水肿买大一号的鞋子，因为按照我的调养方式，通常是不会水肿的。

但是你可以买一双有弹性的鞋，既方便行走，又能减轻脚的负担。

　　■　保持心情愉悦对孕妇来说是很重要的一点。我们做饮食调整是避免上外火，但是控制内火，保持良好的情绪就必须靠你自己了。

怀双胞胎宝宝，妈妈负担不加倍

颜小姐

年　　龄：31 岁

职　　业：科技资讯

调养重点：准备怀孕、乳房纤维瘤重复增生、肠胃不适和易疲劳

怀孕情形：双胞胎，怀孕 32 周

其实，我真的没有想到在邱老师的协助下，我不只身体变得更健康，还圆了生病的母亲希望见到我怀孕的心愿，更赞的是我即将有一对可爱的双胞胎女儿！是的，是许多人梦寐以求的双胞胎喔！

一开始，我只是希望生病的母亲能够按照邱老师的调养方法，让身体状况变好一点，不过我和老公亲身体验之后，毫不不夸张地说，真的可以用"恍然大悟"这四个字来形容。过去我们习以为常的食物和饮食习惯原来存在这么多误区，总是觉得大毛病没有、小问题一大堆的身体是

很正常的状况，毕竟身边很多的朋友都是这样，也就以为大多数人理所当然是这样。其实这些"小问题一堆"的身体状态，都是自己一点一滴造成的，这些，根本不是我们该去承受的——除非你没有好好善待自己的身体。我觉得最珍贵的一点是，从邱老师那里学到的方法，可以让人有种能够掌控自己的身体的感觉。这真的很棒！对我来说，是前所未有的体验。

至于怀孕计划，邱老师在咨询过程中，她特别叮咛我们："**调养期间不可以怀孕，要认真避孕。**"她希望我们把身体调整到最佳状况后，再来怀孕。邱老师说的话好像有一种魔力，我想那是因为我们之前已经遵照她的方式去调理身体并很有效果，所以现在对老师的话深信不疑。我们很认真地遵守邱老师的避孕叮咛，当然另一方面，那段时间同时要照顾生病的妈妈，比较没有多余心力去想怀孕的事情。

后来，为了完成妈妈希望看到我怀孕的心愿，在完成邱老师的咨询课程后，主动向医生要求进行人工受孕。还记得当时检查身体时，医生说我的身体状况很好，受孕的成功机会很高。最后，我很顺利地第一次受孕就成功，这事情让母亲非常高兴，也让她放下心里的担忧，算是完成了她老人家的一桩心愿。

现在回想起来，我能够第一次人工受孕就成功，得归功于我的身体状况还不错，我后来才知道很多人要做好几次才成功，甚至有人到最后也没有成功，像我这样一次就成功的案例并不多。我想邱老师调养身体的方式，绝对对我有很大帮助。

得知我怀孕的消息后，亲戚们反而开始担心我的身体了，因为怀着小孩，同时还要照顾生病的妈妈，大家怕我身体负担不了。可是，我一点也不觉得怀孕是个辛苦的差事。

人家说最辛苦的是怀孕前三个月，但我一点不舒服的症状也没有，顶多就是偶尔起床时有轻微恶心的感觉。此外，我不会疲倦，也不会很想吃东西，更没有严重的孕吐。而且当时我要照顾病危的妈妈，甚至到后来处理后事，必**须经历好一段身心俱疲的日子，我都没有因为怀孕而感到任何的不舒服，我想这些真的是靠那半年跟着邱老师进行咨商调养身体换来的。**

回想起那半年,我跟我老公就像是彼此的饮食督察员,更是同事间的饮食小老师。不过,一开始我们也经历了一阵兵慌马乱的忌口时期。还记得当时我们先花了两个星期,逐一整理家中的食物柜与冰箱,把总是常备的洋芋片、饼干等零食,可以送人的就送人,可以清掉的就清掉。还带着邱老师的清单,到量贩店采买可以吃的东西。我们原本以为这是项简单任务,没想到一整排零食饼干的柜位,剔除掉所有不适合的成分后,完全没有我们可以吃的。

我慌张地打电话给同样找邱老师咨询的好友求救,问他:"怎么办,我在量贩店,不知道可以买什么零食吃?"没想到我的朋友说:"量贩店里面没有一种零食是可以吃的啊。"我们这才死了心,打道回府。

回头想想我们咨询前自己草拟的常吃食物清单,每一项都被邱老师划掉,而邱老师手中的食物清单也是被她画上一个叉叉又一个叉叉,我心里暗想:"糟糕,那到底还有什么可以吃?"

爱吃水果的我,也不能像以前那样毫无节制地吃了,**原来多吃水果并不会像大家以为的那样能让女生**

变漂亮。我还因为曾经有乳房纤维瘤、胃炎的病史，鸡肉也被列为暂时禁止的食物。

胃不好却超级爱吃鸡的老公，也得忌口，对他来说这真的是晴天霹雳。我老公在咨询结束要离开时，仍旧不死心地跟邱老师再三确认。但是，邱老师很坚定地对我老公说："不行，你就是暂时不能吃鸡肉，除非你想得胃溃疡。"

虽然受到很大的惊吓，但是我们还是认真执行。夫妻俩一起咨询的好处就是可以相互监督、彼此鼓励，也比较不容易放弃。因为当其中一个人想要放弃的时候，另外一个人就会给予鼓励，提醒这一切都是为了自己的健康，一定要坚持到底才行。我跟我老公就是彼此监督着，认真地按照邱老师建议的饮食法吃了半年。

在这个过程中，饮食习惯的改变，让人一开始真的很不适应，但是时间久了以后，也就慢慢习惯了。我们会自己准备便当带到公司，没带便当的时候，也慢慢养成了吃自助餐时把菜过水的习惯。因为慢慢认识到各种食物的特性，在外用餐时比较能够判断并选择正确的食物。到最后，原本觉得我们这样吃很麻烦的同事，也都纷纷仿效，因为只要看过自助餐的菜肴过水后浮在水面上的那层厚厚的油，就会觉得实在太惊人了，大家开始跟我一起这样吃，还会来问我该吃什么、不该吃什么。哈哈，我现学现卖成了大家的饮食小老师。

我们还研发出更方便的姜汁喝法喔。因为按照邱老师的建议，早上要准备早餐，要喝姜汁，还要吃益生菌等等，有时候太赶着上班，实在是没有多一点点的时间去弄热姜汁。于是，我们把姜汁打好煮滚放凉后，装进差不多是一汤匙量的制冰盒，做成一个个的姜汁小冰块。**早上起床的时候，只要将姜汁小冰块加上果寡糖，淋上热水，冰块融掉后的姜汁温度，刚刚好入口呢**。当然不能将整颗姜汁冰块含进嘴巴里啊，这种行为简直是找死吧。

在调整体质的这半年期间，我的皮肤变好了，以前偏黄的肤色，现在看起来很有光泽，以前常长痘痘的我，现在几乎不长了。肠胃部分，以前很容易胀气、胃凸，这些症状也都消失了。体重也恢复到大学时期的 49 公斤。

让我最吃惊的一点是，过去我总是很难起床，会赖床，可是饮食调整后，闹钟响的那一瞬间，我就会完全清醒，我被自己这个大改变，真是吓了一大跳，而且睡眠品质也变好很多。

变化更大的是我老公。记得第一次跟邱老师见面的时候，邱老师看着我老公说："你的水肿状况，简直就像是在海里泡了两天。"虽然我老公听了相当受伤，不过邱老师这一句话，简直点醒梦中人啊！因为我们过去都不知道那是水肿，只是觉得他胖胖壮壮而已。

按照邱老师建议的饮食方法调理的三个星期后，他的体重就开始直线下坠，肚子消了，脸上的浮肿也不见了，最后他瘦了十几公斤。一直到现在他都会很得意地跟我说："老婆，我的皮带又要拿去钻洞了。"

我老公原本一到秋冬换季时，就会发作的冬季湿疹，在去年咨询结束后换季时，居然连一颗疹子都没有长。想到全身性的皮肤过敏单靠饮食调整就可以解决，这真的是太惊人了。一想到他过去几年为了湿疹受的折磨，就觉得如果早几年认识邱老师，我们肯定可以多过几年快活的日子。

在我的怀孕过程中，还有个更深刻的体验，就是食物对身体的影响。

因为邱老师建议不要吃蒜头，始终让喜欢做菜的老公觉得不甘心，所以偶尔他炒菜时还是会加入蒜头，因为这样比较好吃。我呢，也有一两次偷吃虾子的纪录，没想到孕期咨询的时候，邱老师跟我老公说："你老婆都上肠火了，不要再让她吃虾子和蒜头了。"原来是邱老师一看到我的下唇红红干干的，马上就知道我们没有忌口，我也才知道原来那是上火的反应，不是天生的。

我们都没有察觉，原来我们的身体对于不适合自己的食物反应竟是如此敏感，我们自己却没有意识到，需要别人来提醒，这点让人非常讶异。从此，我们就更小心地吃东西，真的再也没有偷吃过不适合自己的食物。

怀孕过程中，邱老师要求最多的就是体重控制。因为我怀的是双胞胎，老师给我的增重标准是 13 公斤，现在进入到第九个月，我的体重是 60 公斤，我还有 1 公斤的额度呢。**怀孕过程中，我的身体和四肢都没有变胖，唯一不断成长的就是我的肚子**，虽然妇产科医师有点担心我的身体太瘦，往后负担会越来越大，但是我真的很高兴，我认真吃进的养分，宝宝都充分充分吸收了。

另外，我觉得老师很贴心的一点是，再次咨询的时候，会教我生产完后该怎么坐月子、怎么照顾宝宝，比方说不要宝宝一哭就马上抱等等，这对我这个一次要带两个宝宝的新手妈妈来说，真的帮助很大。

从开始咨询至今，原本我一年会复发一次的乳房纤维瘤，也没有发现任何异状，虽然是对身体无害的良性瘤，但总是心头之患。这一切真的是要感谢邱老师啊。

CH5
产前一个月的 准备期

■ 首先，我要告诉这个时期的你，不要紧张，一切都会自然而然地来临，你只需要放松心情，放松肌肉，就已足够！至于生产前需要特别注意的事项，我都会一一告诉你，一起用愉悦而平稳的心情迎接宝宝吧！

宝宝就要准备好了，
你呢？

　　经过了每天都有变化的怀孕时程，现在已经进入到最后一个月了，肚子里的宝宝也准备好来到世上和大家见面了，那你准备得如何了呢？

　　如果过去几个月，你增加的体重都在标准范围内，也为了宝宝正常作息，每餐都吃得正确，那么现在的你应该会是个容光焕发、精神饱满的孕妇，而且，在你的努力之下，即将出生的宝宝也会非常健康喔。

　　在这个令人开始兴奋的最后倒数阶段，饮食方面，只需要把每天早上的姜汁停掉，除此之外，并不需要特别改变，份量也不必再增加了，还是如常地每餐有肉、菜和淀粉，不该吃的食物，继续忌口，就可以顺顺利利地迎接将要和你第一次见到面的宝宝了。此时你要 hold 住，千万不要松懈，忘记你吃进去的每一口食物，都对宝宝有直接而不可抗拒的影响喔。

宝宝最好的食粮，靠你此刻的努力

最后一个月，准妈妈在饮食方面不必额外费心，但有一项重要的工作，请准妈妈们千万不能偷懒，那就是胸部按摩。

这个阶段的胸部按摩，不只是为了避免妈妈自己产生难看的妊娠纹，更是为了疏通乳腺。你可以想象成是在提早提醒乳腺为将来的哺乳做好暖身。身体会听得懂你的提醒，也会提前先"暖机"，所以不要觉得自己提前做这些是否会白费工夫，一点都不会！你要相信自己的身体机能。

按摩的步骤其实不难，重要的是要持之以恒，每天进行，因为现在不开始按摩，等宝宝出生要哺乳时，会比较容易出现乳腺阻塞和出奶不顺的问题。大家应该都听过某些孕妇分享的惨痛的哺乳经验吧？有一些没有提前做好准备的妈妈，光是为了哺乳就受尽折磨，让一些尚未开始哺乳的准妈妈简直听了就觉得害怕。其实你根本不用害怕，只要从现在开始为自己多做一些准备和预防措施，就绝对可以当一个乳汁充沛的快乐妈妈。

关于这一点，我听很多人说过，她觉得没能喂自己的宝宝母乳，相当对不起孩子，甚至有些人为了这件事情相当自责。其实你绝对可以避免这样的事情发生，只要你做好并做对了准备。

做胸部按摩的时间最好是在睡前或是洗澡后进行，选在一天之中最放松的时段，不如也将其当作好好疼爱自己的一个小活动吧。准妈妈此时常会把全部的心力都放在孩子身上，但你还是别忘了和自己的身体相处，感受自己身体的变化也是一种乐趣，不妨好好享受这生产前仅存的个人时光吧！

开始按摩前，先以热毛巾热敷胸部 15 分钟。接着，用一只手托住一侧胸部，另一只手的手指并拢，从胸部的外围开始，以乳头为圆心，由外往内，一圈一圈地毯式按压，按压到乳头周围时，请回到乳房的最外围，再一次以按压

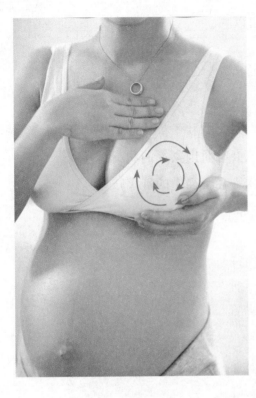

的方式按摩胸部，一边按压一边检查是否有小硬块。每侧乳房，每天都需要来回按压 3～5 次喔。一侧的胸部按摩完毕后，就换另外一侧，重复同样的动作。

如果在按压过程中发现了小硬块，这很有可能是乳腺阻塞，可别置之不理或不以为意。在发现有硬块的地方，持续按压推揉，慢慢地这些硬块就会变软，最后消失。另外一种方式是，你也可以把小硬块捏起来，轻轻搓揉，也可以慢慢地将硬块揉散。一开始按到硬块的时候，会比较痛，但是你不能因此就放弃或是跳过这个小硬块，要是不及时处理，将来所引发的麻烦就不是现在这种小痛可以比拟的了。

我真的要不厌其烦地叮咛大家，每天两个乳房一定至少都要做一次这样的按摩才可以喔。

为你量身打造的舒缓按摩

怀孕的妈妈们，挺着一个大大的肚子，背部与腰部承受的压力都比一般人大，难免会有肌肉紧绷的状况，除了坐卧时增加腰部的支撑外，以下几个简单的舒缓按摩，也对于放松背部与腰部肌肉很有帮助。

一般来说，当你要开始进行按摩时，最好先将双手放置在即将被按摩的区域，用掌心的温度来告知你的身体"要开始按摩啰"。要结束按摩时，也建议再次将掌心搓热，放在刚刚按摩过的部位上，借着双手掌心的温度来传递消息，作为开始与结束的信号。

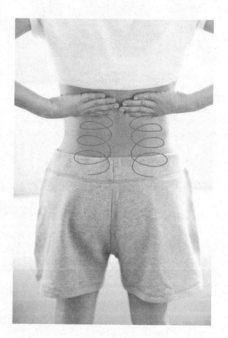

螺旋往上舒缓
以双手四指指腹分别于尾椎左右两侧，以螺旋画圈的方式，

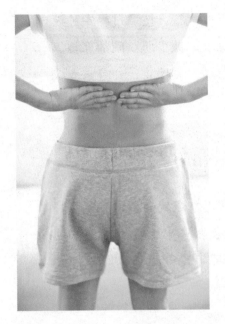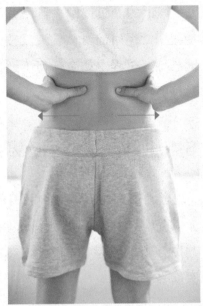

缓慢地按摩至腰背，重复约 3～5 次。

揉捏后腰

一样利用你的四只手指的指腹，轻轻地揉捏后腰，这样能舒缓肌肉的紧绷，重复约 3～5 次。

四指滑拨尾椎

以双手大拇指的指腹，从尾椎往两侧平行滑拨，并且由下往上滑拨至后腰，重复约 3～5 次，可舒缓整个后腰肌肉。

以上的舒缓按摩，自己就可以执行，按摩过程中建议使用平常惯用的身体乳液或按摩油，减少肌肤间的摩擦。同样地，过程中如有任何不适，就立刻停止，并寻求专业医师的协助。

宝宝即将来到的提醒：落红与收缩

通常产妇越接近生产的时间，情绪就会越焦虑紧张，尤其是第一次怀孕的人，这些紧张多半因为不知道如何判断什么状况是即将要生产，或者是究竟什么时候该到医院去？

要想分辨生产的关键时间点，我们需要获得的第一个讯息，就是——落红。

当你发现自己落红时，不论你人在哪里，第一件事情就是告诉自己不要慌张，因为正常情况下，离真正生产的时刻，其实还有很多时间。很多孕妇都是自己吓自己，慌张得要命，结果只能让自己像个无头苍蝇一样无济于事。

这时候，你应该要做的事情就是先让自己尽量放轻松，并且带着喜悦的心情，因为即将就要和你期待已久的宝宝见面了，等了好几个月的孩子终于要来到这个世上了。除了通知家人与陪产人之外，如果落红发生在白天且在家的话，你可以先进行任何你觉得舒服的活动，比如在家里到处走动一下，让自己先安定下来，听听舒缓的音乐，慢慢地深呼吸。同时你可以开始从容地将去医院生产后需要使用到的各种东西都先准备好，例如换洗衣物、个人用品、宝宝用品、产垫……一样一样地慢慢打包装袋。打包这些用品时，记得多带一个枕头或靠垫，因为到了医院后，这些枕头不论是侧躺时放在腰侧，平躺时放在肩膀后，或是膝盖下，都有助于改变身体的重心，不会让所有的重量都集中在腰椎，会让你舒服很多。如果是正在上班中的孕妇也别担心，这些东西可以请家人帮忙打理，或是事先整理打包好，此时的你呢，只要维持正常的日常作息，并且进行深呼吸、舒缓情绪即可。

到了晚上，尽管难以控制紧张的心情，但还是请你试着上床睡觉，如果真的睡不着也要闭目养神，你可以请老公在旁边通过轻柔地抚触来帮你放松心情。这些轻柔的抚触如果方法正确，也可以达到让你放松的效果。建议老公从手背开始，由下往上的轻轻抚摸，直到肩膀，反复地轻柔抚触，保证可以让你的情绪平稳下来。当然，老公的情绪也要相对平稳，因为这些都会影响并感染到孕妇。

保持心情放松、如常作息之余，真正要留意的是第一次收缩的时间，并且要确实地记录下来，然后继续留意第二次收缩时间。这中间可能相隔几十分钟，也可能间隔几个小时，每个人的状况不尽相同。是的，没错，当收缩开始，代表着你离生产又更靠近一些了。这时候，你可以去洗澡、洗头，让自己干干净净、舒舒服服地进产房，或是到附近公园散散步，或是就在家里四处走一走。

当你记录下来的收缩间隔，已经缩短到每 56 分钟就发生一次的时候，恭喜你！这就是你真的要请家人或陪产人，和你一起到医院待产的时候了。

陪产人请不要对孕妇喊"加油！"

到达医院时，记得要请陪产人先前去与护士沟通，每当要做产道指检时，请预先告知，以免突如其来的检查，让产妇受到惊吓。可以的话，多跟医院要几个枕头，自己带来的枕头也可以在此时派上用场了，看是要放在腰侧、膝盖或肩膀后都好，以让孕妇舒服的位置为主，因为等到生产需要用力时，身体承受的重量也能借着这些枕头对身体起到支撑的作用，平均分散力道，不会集中在腰部或臀部，造成产后的酸痛。

其实这时候离真正的生产时刻，还有一段时间，现在特别需要你与家人保持冷静。因为当你面对越来越频繁的收缩时，身体的自然反应，会是疼痛引起的负面感觉，这时候脑海里千万不要想着去对抗它，虽然这对身体来说是疼痛，但是你必须告诉自己，这是迎接宝宝必经的过程，是为了诞生的喜悦所做的准备。

此时，也请陪产人守候在床边，握着产妇的手，这样每当收缩开始时，就能在第一时间发现。这时，请告诉产妇，想像自己的身体轻飘飘地浮在水面上，而这一次又一次的收缩，就像是一波一波的海浪，只是经过你的身体，通过了，就没事了，况且随着每一次的收缩，与宝宝相见的美好时刻就又近了一步。更不要忘记，生产是女人的身体天赋的能力，听从身体的本能，你绝对可以顺利生产。

一旁的陪产家人，也有重要的任务，切记不要出现任何激励的字眼，例如"加油"、"用力"等等，虽然这些字词非常积极、正面，但是，此时此刻，产妇最需要的是放松与喜悦的心情。更重要的是，更不要说出"阵痛"这两个字。因为刺激性的字眼会让已经情绪紧张的产妇更加紧绷，只要情绪一紧绷，微血管就会收缩，肌肉也会跟着紧绷，紧绷的肌肉可能让产道打开的过程更困难，或需要更多的时间，也可能在产道口产生撕裂伤。

因此，在一旁陪伴的家人或朋友，请改口说："再努力一下，为了宝宝，放轻松。"产妇的情绪放松，肌肉就会跟着放松，整个生产的过程就会顺利。大家必须要明白，生产是女人的天赋，收缩只是一个让宝宝顺产的过程而已。

所以这段时间，务必要让脑子里所接受到的讯息都是放松，这些过程都是为了让宝宝顺利地滑出产道，来和亲爱的爸爸妈妈相见。

如果老公参与生产过程，为了夫妻之后的幸福着想，强烈建议先生站在产妇的头部方向，毕竟生产过程还是相当地写实，站在床头位置握住太太的手给予支持，一起等待宝宝的到来就好啰。

迎接宝宝的最后准备，呼吸与放松就对了

随着收缩的间隔越来越短，身体更需要放松，更需要柔软。很多产妇在面临间隔越来越短的收缩时，会不自觉地憋气，不论是自己或陪产人，都要记得提醒产妇不要憋气，要记得呼吸，而且是慢慢地……吸……呼……吸……呼。

所以，请尽量温柔地深呼吸，每一次呼吸都增加一点时间，想像着吸进身体里的空气，每一口都让你的身体更放松。一个吸气，肩膀放松了；呼气，再一个吸气，胸口放松了。慢慢地呼吸，让身体的每一寸肌肉都变得轻松柔软，这时候你会发现，宝宝其实也会跟着你的呼吸律动，这个深长且温柔的呼吸，宝宝可以百分百感受到，也会成为生产时推送宝宝出生的能量。生产过程是迎接新生命的飨宴，是充满快乐的Party，并不是充满痛苦的战斗喔。

有个小方法对于呼吸很有帮助，在这里提供给大家。可以请陪产人在你的耳边轻轻地念以下的内容：

呼吸，因为你对宝宝的爱
呼吸，这个爱的能量，宝宝也感受得到
让你的产道柔软而通畅，让宝宝的头带领着他的身体
为了宝宝，打开你的产道，轻轻柔柔地推动
帮助宝宝，往下滑出产道，让产道口像百合花一样地绽放
温柔地、柔软地呼吸
因为你对宝宝的爱，宝宝会轻松顺利地滑下来
让我们欣喜地欢迎他来到这个世界

　　或者，可以事先录在手机或随身听里，在临盆前用耳机反复聆听，搭配深长的呼吸，会有很大的帮助喔。生产的过程充满许多未知数，很多有生产经验的妈妈都会说，宝宝有自己的方式来到这个世界上，许多选择自然产的妈妈，也常发生不得不剖腹的状况，所以面对各种状况，都要告诉自己要放松，不要紧张，因为此时此刻，你和宝宝仍旧是紧紧相连的，你的任何起伏，宝宝都感同身受。

　　我想建议产妇，如果能够忍耐得住，可以按照我的建议用冥想、放松来度过每一次收缩，没有必要就尽量不要打无痛分娩针，能不打就不要打，让宝宝在完全自然的情形下来到这个世界上，一切会更加美好喔！

邱老师的好孕小提醒

生产前你要知道的事：

■ 在生产前不要自己吓自己，不要一落红或是开始有阵痛感就开始惊慌失措。事前多了解生产的过程，你会发现离真正生产的时间其实还很多。

■ 产房不是你的战场，而是你迎接宝宝来到这个世界的温床。所以请尽量用放松的肌肉和愉悦的心情去迎接，不要对抗身体的反应，这一切都很美好。

■ 其实，如果怀孕过程中身体调理得好，生产时的出血量其实就跟一次月经血量差不多。

■ 你可以自主地选择陪产人。建议是选择平常情绪平稳，面对突发状况有应变能力的人，这样的人陪在你身边，才能够协助你稳定情绪。

按摩指导示范：玩。疗愈
Kaya Wang
kayawang.massage@gmail.com

妈妈有好体质，宝宝就会好健康

蔡旻纹
年　　龄：32 岁
职　　业：自由职业
调养重点：生小孩、手脚冰冷、肠胃问题
怀孕情形：已经有一个 1 岁多的宝宝，第 2 胎刚怀上

认识邱老师多少年，我就喝了多久的鸡汤。现在已经有了第 2 胎的我，还是常常开玩笑说，我的宝宝都是喝鸡汤长大的，包括现在已经 1 岁多的老大和肚子里的第 2 胎。

从怀孕前就开始每天喝鸡汤，怀孕期间更是如此，再加上坐月子到后来的哺乳期间，算起来已经 3、4 年了，我从来没间断喝鸡汤，而且我发现我的宝宝也非常喜欢鸡汤的味道。要不是邱老师特别叮咛说，小孩还太小，内脏都还在发育，鸡汤中的药材对小孩来说负担太大，否则我还真想也用鸡汤来为我的小孩体质打底，因为我从喝鸡汤这件事上获得极大的收获。

其实，要说邱老师的饮食建议对我有什么帮助，不如看看我的小孩。他的外型比起其他的宝宝，常被人说太瘦了，可是，他的身体非常结实，肉摸起来Q弹Q弹的，不像有些小孩软泡泡的。而且他的活动力、精力都非常好，也没有任何的过敏反应。我很肯定他拥有一个非常好的体质。

其实，一开始我也跟大家一样，觉得邱老师的观念，简直颠覆了所有营养师的看法，也和过去大家认为的营养摄取概念很不相同，有点不太习惯。不过按照邱老师的方法开始调整之后，我的手脚冰冷就完全消失了，虽然我承认我大概只有做到五六成，但是身体已经产生了变化，而且是好的变化。

怀孕过程中，为了肚子里的宝宝，我比平常更严格地忌口，并且遵照邱老师的建议吃东西，虽然偶尔还是会有偷懒的时候，比方说，还是会和朋友亲人聚会，偶尔还是会嘴馋等等。不过，**整个孕期，我真的一点状况都没有，各种听说的怀孕初期会出现的不适症状完全都没有**，非常平顺，比起朋友们怀孕时，孕吐、嗜睡什么都来的状况，让我自己觉得有点像是异类，好像她们才是正常的孕妇，而我是不正常的。当然，这是玩笑话啦，**平顺的孕期才是**

正确的，谁说孕妇一定要活受罪呢？

我怀孕期间总共增重了 8.7 公斤，宝宝出生时是 2960 克。比起邱老师严格规定整个孕期只能增重 8 公斤多了近 1 公斤，我身上这多出来的 0.7 公斤，是因为我贪嘴吃冰淇淋长出来的，也是被邱老师碎碎念到不行的坏习惯。我其实也不知道为什么，到了怀孕中后期，就是想去偷偷去吃一点，结果因为冰淇淋的糖分很高，再加上我常用馒头代替白饭，我当时被医生警告血糖过高，要我克制一下。大家可千万不要学我，因为不听话的结果马上就会反映在身体上，况且吃冰本来就对我们女生很不好，更遑论是怀着宝宝的孕妇了。

我觉得按照邱老师的建议吃东西，还有一个好处就是身材恢复得很快。我自己的经验是，**一生产完进到坐月子中心的时候，我的体重就已经回复到怀孕前的标准了。可见，所有补充的营养，真的都是进入到宝宝身上。**

而坐月子的时候，我拒绝了所有的麻油料理，虽然我的妈妈偶尔还是会念一下，但是我不吃就是不吃，煮来也是浪费，大家也就顺了我的意。我还大喝特喝邱老师的月子汤，坦白说，真的非常好喝。而且月子汤中的花生猪脚汤，发奶效果超强，让我的奶水量非常充足，只是，我因为没有乖乖地执行胸部按摩，以至于乳腺阻塞的情形有点严重。好吧，我承认我是个不大听话的人，不过这些不听话都带来了可怕的后果，就当作给各位提供一个借鉴吧。

还记得当初老师特别教我做胸部按摩的方法，叮咛我一定要在最后一个月好好按摩胸部。可是啊，偏偏我被懒惰打败，怀孕总是想能休息就休息一下嘛，想说等小孩一出生，肯定会忙到天翻地覆的，不如好好把握这最后的一个人的时光，同时我自己也觉得："怎么可能，我一定不会有奶的，既然没奶，当然就不会有塞奶的问题啰。"结果，我果然乳腺阻塞得很严重，这时候跟邱老师说再多的"早知道"也都是枉然，我只好忍着痛尽快处理。乳腺阻塞真的好难受，不夸张，整个胸部跟石头一样硬，真的会让你痛到呼天喊地，所以啰，千万要乖乖地做胸部按摩，别发懒，不然你肯定会跟我一样后悔莫及的！

另外让我这个当妈妈的很欣慰的一点就是，我的小孩基本上没有喝夜奶的习惯。记得刚从坐月子中心回到家里的时候，宝宝因为转换环境，晚上会醒来哭闹一下子，但是过了一个星期，就一觉到天亮了，虽然我还是得半夜起床挤奶，不过，宝宝能一夜好眠，我也觉得非常欣慰。这也印证了邱老师对于孕妇作息时间的要求有其道理。果然妈妈作息规律，宝宝也就能一夜好眠呢。

关于喂母乳，听从邱老师的建议，我喂母乳喂了将近一年，断奶后惊喜地发现，**大部分产妇所担心的产后胸部萎缩下垂的状况，在我身上完全没有发生，甚至胸型更美更丰满。**断奶初期，我的胸部罩杯比怀孕前还大了一个cup，后来才又慢慢地小了半个cup回去，但我的体重比怀孕前瘦了2公斤。询问邱老师的结果，老师说可能是因为断奶后，我的优质蛋白质快速减回怀孕前的摄取量，等于每天减掉了一半的蛋白质摄取，所以胸部才会小了半个cup。既然如此，现在怀着第2胎，我重新努力的目标，就是让我的身材每怀胎一次就比之前更加完美。

目前，我也已经开始严格地针对日常饮食忌口了，我也相信通过多年以来的饮食调整，我的体质已经到了一个最佳状态，我非常确定我能再拥有一个舒适的孕期。希望你们也是喔！

CH6
产后一个月的月子期

■ 相信经过几个月的美好怀胎过程，接下来你也会持续努力，让自己、家人和最亲爱的宝宝都拥有超棒的体质。这一个月，也是你身体的最佳调养时期，只要你照着我建议的月子餐去吃，绝对会成为一个气色绝佳、身材完美的辣妈喔！

照顾宝宝也要照顾自己

恭喜你，终于"卸货"了。

我相信，你生出了一个健康又可爱的宝宝，现在正与他（她）一同感受这世界的美好，而他（她）从在你肚子里就开始感受到无限的爱。而经历过生产过程，就如同经历人生中最美好的事情。同时，你应该也累坏了吧。接下来，要开始很频繁地照顾宝宝了，不过也别忘了在坐月子的时候好好照顾自己。因为此时的你，需要相当的营养来补给。

不论你是到月子中心，或是请月嫂到家里来，还是由亲人帮忙坐月子，请先告诉帮你坐月子的人，**不要准备麻油类料理**。对很多长辈来说，这项要求可能太过颠覆，尤其麻油鸡，总是被视为产后的滋补圣品，在很多人的观念里是非吃不可。

事实上，麻油高温制造的过程是引起上火的原因之一，料理过程中大火拌炒的方式，也是会让身体上火的原因，因此，为了避免让身体上火，最好在坐月子期间，不碰麻油鸡或其他麻油类料理。

我调理的许多孕妇，经过详尽沟通，家人多半都能够欣然接受这一建议。而且，我也替大家准备了坐月子所需要的月子汤与月子餐，皆按照每餐都有肉、菜和淀粉的原则设计，月子汤中，有补气的，也有发奶的，可以让你在坐月子期间，既能恢复体力，又能满足哺乳的需求，所以，麻油鸡，我们就跟它说再见吧。

月子水温热喝，月子餐认真吃

刚刚生产完，还需要卧床休息时，如果想要清洁身体，可以请家人帮忙准备去皮老姜煮水，用老姜水来擦澡，既温暖又舒服。

产后一星期，想洗澡、洗头，也是可以的，大原则是不要让自己因为接触冷空气而受寒，尤其医院或月子中心都设有空调，就算在家里也有机会开空调、吹电扇。想要洗澡又保护身子，其实很简单，只要在浴室里吹干头发，擦干身体穿好衣服再出来，或者是先将头发洗净吹干，再戴上浴帽继续洗澡，都是可以的。总之，千万不要只包着浴巾或毛巾，湿着头发或身体就出来，要想办法让自己保持温暖，避免所有可能受到风寒的状况。

我也建议产妇在坐月子期间，以月子水代替一般的白开水。当医生说可以喝水后，请家人到中药行帮你采买正北芪（黄芪）、枸杞和红枣，加上老姜去皮拍扁用水煮滚，就是一杯补气又补血的月子水。要提醒的是，红枣要记得去籽，才不会上火。

煮好的月子水，建议用保温瓶装着，要是放冷了也请加热后再喝，喝温热的对身体才好。因为坐月子期间，有不少汤品要摄取，很难一次喝完，此时千万不要因为懒惰就咕噜噜一下喝下去，这样对刚生产完的身体很不好。其实月子水的量，大概一天 1200 毫升~1500 毫升左右就足够了。

以下是月子水的配方，补气又补血喔！提供给大家。

• •

月子水

材料：正北芪 5 钱㊟、枸杞 5 钱、红枣去籽 15 颗，去皮老姜 2 大块，水 1500 毫升。

做法：药材洗净备用。老姜去皮切块拍扁，加入 1500 毫升水中煮滚。煮滚后放入药材，转小火续煮 30 分钟即可。

• •

坐月子期间的调养大计，还得靠月子汤和月子餐。这时候吃进身体里的东西，必须延续过去打造温暖体质的原则，同时也必须提供足够的营养，好让妈妈恢复体力与顺利哺乳。因此，在原本的早餐鸡汤之外，午餐以及晚餐也都需要加入汤品，其中几款汤品更是针对发奶而设计，好让妈妈有足够的奶水可以亲喂宝宝。

增加在午餐、晚餐中的汤品有党参山药杏鲍菇鸡汤、

注：本书提到的计量单位"钱"为台湾地区的用法，即 1 钱 = 3.75 克。

花生猪脚黑枣枸杞汤、西洋参香菇鸡汤、姜丝石斑鱼汤、姜丝鲈鱼汤、青木瓜黑木耳南瓜汤、青木瓜皇帝豆汤，以及专为产妇顾筋骨设计的杜仲巴吉枸杞鸡汤。这些汤品，皆以鸡高汤、猪大骨汤或鱼汤为基底，再加入其他材料炖煮，既营养又美味。

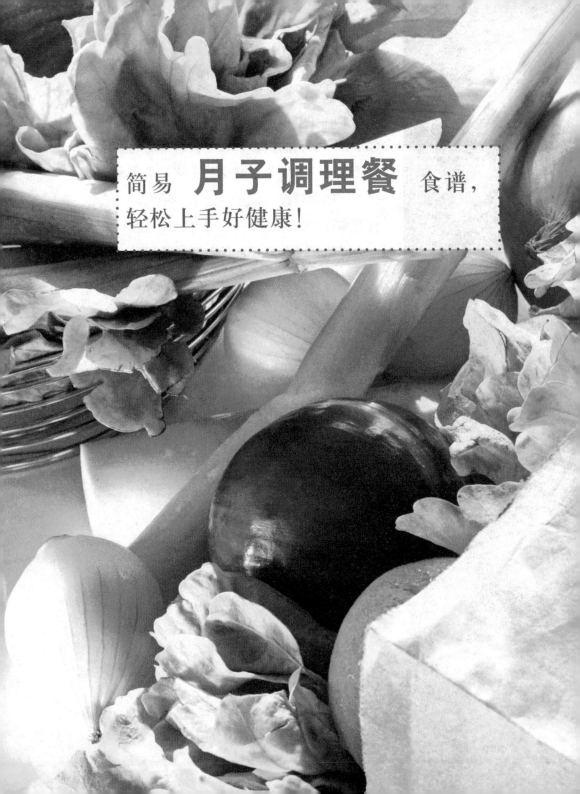

简易 **月子调理餐** 食谱，轻松上手好健康！

　　除了月子水之外，我当然还会提供你一些月子汤的做法，让你做月子的时候能吃到一些发奶又好吃的食物，重点在于这些食谱都很简单易上手，无论是自己做或是请除了月子水之外，我当然还会提供你一些月子汤的做法，让你做月子的时候能吃到一些发奶又好吃的食物，重点在与，这些食谱都很简单易上手，无论是自己做或是请除了月子水之外，我当然还会提供你一些月子汤的做法，让你做月子的时候能吃到一些发奶又好吃的食物，重点在与，这些食谱都很简单易上手，无论是自己做或是请家人帮忙做，都不会感到麻烦或油腻腻喔！所有的食材和做法都是为产后的你量身打造，你一定要试试看，绝对会让你意犹未尽。

发奶滋养的美味汤品

　　经过熬煮的月子汤，所有富含营养

素的精华都融入汤中，加上添入食材的特性，可以补充月子期间妈妈所需的营养素，补充生产时大量消耗的体力，也可以增加奶水量，让妈妈有足够的母奶可以喂养宝宝。这些汤品既美味又营养，不怕你喝腻，就怕连你的家人也抢着喝。

这10道汤品，主要以午餐与晚餐搭配的汤品为主，并选择两款搭配早餐的基本鸡汤，也曾经在《择食》一书当中提过，在这里一并示范。要制作这些汤品，得先准备4款作为基底的高汤，分别是鸡汤、大骨汤、鲈鱼汤以及石斑鱼汤。这4款基底高汤都可事先熬煮放好备用，每次要煮汤时，取用一餐所需的量加入食材一起炖煮即可。

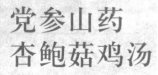

党参山药
杏鲍菇鸡汤

〈2 餐份〉

基底高汤

材　料：

鸡架或猪大骨 1 个、鸡脚 6 只、老姜 2 大块。

做　法：

1. 鸡架或猪大骨汆水去血水。

2. 老姜去皮拍扁，放进加了 11 碗冷水的汤锅中煮滚。

3. 加入鸡架、鸡脚，盖上锅盖。以中小火煮 60 分钟，熄火捞出鸡架或猪大骨、与老姜即可。

Tips 可请市场肉贩用槌子将猪大骨敲裂，有助于熬汤时让营养更快融入汤中。

汤品食材

材　料：

山药 12 块、杏鲍菇 2 小支、党参 2 钱、枸杞 1 大把、正北芪 5 片、去籽红枣 7 粒、2 份鸡高汤或大骨汤、少许盐。

做　法：

1. 山药去皮切块，杏鲍菇洗净切块，红枣去籽，所有药材洗净备用。(图❶)

2. 准备电锅，外锅加入 1 杯水，内锅盛 2 份鸡汤或大骨汤，加入食材、药材与适量的盐炖煮，内锅记得加盖。(图❷)

花生猪脚
黑枣枸杞汤

. . . .

〈2 餐份〉

材 料:
黑猪后腿中圈 2 块、生花生 1 小碟、黑枣 5 粒、枸杞 1 大把、少许盐。

做 法:

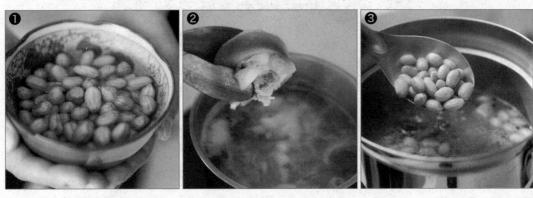

1. 洗净生花生泡水一个晚上。(图❶)
2. 洗净黑枣与枸杞,猪脚汆水去血水。(图❷)
3. 准备汤锅放入猪脚黑枣、枸杞,加 8 碗水煮 30 分钟。最后,再加入已经泡水一晚的生花生与适量盐继续煮 60 分钟。(图❸)

Tips 　起锅前,可先尝下花生的松软程度,若花生还太硬,可再煮久一点。这道汤记得要吃猪脚皮,也要吃花生喔。

西洋参
香菇鸡汤

〈2 餐份〉

基底高汤

材 料：
鸡架或猪大骨 1 个、鸡脚 6 只、老姜 2 大块。

做 法：
1. 鸡架或猪大骨、鸡脚氽水去血水。
2. 老姜去皮拍扁，放进加了 11 碗冷水的汤锅中煮滚。
3. 加入鸡架、鸡脚，盖上锅盖。以中小火煮 60 分钟，熄火捞出鸡架或猪大骨、与老姜即可。

> **Tips** 可请市场肉贩先用槌子将猪大骨敲裂，有助于熬汤时让营养更快融入汤中。

汤品食材

材 料：
西洋参 5 片、枸杞 1 大把、香菇 2 朵、鸡汤或大骨汤、盐。

做 法：
1. 香菇洗净，并泡发去蒂。（图❶）
2. 准备电锅，外锅加入 1 杯水，内锅盛 2 份鸡汤或大骨汤，加入所有药材与食材与适量的少许盐炖煮，内锅记得加盖。（图❷）
注：刚剖腹产完第一周时先不宜食用。

姜丝
石斑鱼汤

〈1 餐份〉

基底高汤

材　料：

石斑鱼骨、石斑鱼头、老姜 2 大块。

做　法：

1. 石斑鱼骨、石斑鱼头洗净备用。
2. 老姜去皮拍扁，加入 11 碗冷水汤锅中煮滚。
3. 加入石斑鱼骨、石斑鱼头，盖上锅盖，以中小火煮 60 分钟，熄火捞出石斑鱼骨、石斑鱼头与老姜即可。

Tips 采买时可事先请鱼贩将整条石斑鱼骨肉分离。

汤品食材

材　料：

石斑鱼肉块、米酒 1 匙、姜丝 1 小撮、石斑鱼高汤、少许盐。

做　法：

盛 1 份石斑鱼高汤至锅中，加热至滚。放入鱼肉块、米酒、姜丝与适量的盐，煮至鱼肉熟即可。(图示如下)

姜丝
鲈鱼汤

〈1 餐份〉

基底高汤

材　料:
鲈鱼骨、鲈鱼头、老姜2大块。

做　法:
1. 鲈鱼骨、鲈鱼头洗净备用。
2. 老姜去皮拍扁,放进加了11碗冷水的汤锅中煮滚。
3. 加入鲈鱼骨、鲈鱼头,盖上锅盖,以中小火煮60分钟,熄火捞出鲈鱼骨、鲈鱼头与老姜。

Tips　采买时可事先请鱼贩将整条鲈鱼骨肉分离。

汤品食材

材　料:
鲈鱼肉块、米酒1匙、姜丝1小撮、鲈鱼高汤、少许盐。

做　法:
盛1份鲈鱼高汤加热至滚。放入鱼肉块、米酒、姜丝与适量的盐,煮至鱼肉熟即可。(图示如下)

青木瓜黑木
耳南瓜汤

〈1 餐份〉

基底高汤

材　料：
鸡架或猪大骨 1 个、鸡脚 6 只、老姜 2 大块。

做　法：
1. 鸡架或猪大骨、鸡脚汆水去血水。
2. 老姜去皮拍扁，放进加了 11 碗冷水的汤锅中煮滚。
3. 加入鸡架、鸡脚，盖上锅盖。以中小火煮 60 分钟，熄火捞出鸡架或猪大骨、与老姜即可。

Tips 可请市场肉贩用槌子将猪大骨敲裂，有助于熬汤时让营养更快融入汤中。

汤品食材

材　料：
青木瓜 4 块、黑木耳 40 克、南瓜 4 块、鸡汤或大骨汤、少许盐。

做　法：
青木瓜去皮去籽并切块。黑木耳洗净切块，南瓜去籽切块备用，盛 1 份鸡汤或大骨鸡汤至锅中，加入材料与适量的盐，将材料煮熟即可。（若有皮肤过敏者可将南瓜改成山药或莲藕、菱角、胡萝卜任选一种）（图示如下）

青木瓜
皇帝豆汤

〈1 餐份〉

基底高汤

材　料：
鸡架或猪大骨1个、鸡脚6只、老姜2大块。

做　法：
1. 鸡架或猪大骨、鸡脚氽水去血水。
2. 老姜去皮拍扁，放进加了11碗冷水的汤锅中煮
   滚。加入鸡架、鸡脚，盖上锅盖。以中小火煮
   60分钟，熄火捞出鸡架或猪大骨、与老姜即可。

Tips 可请市场肉贩用槌子将猪大骨敲裂，有
助于熬汤时让营养更快融入汤中。

汤品食材

材　料：
青木瓜6块、皇帝豆10～12颗、鸡汤或大骨汤、
少许盐。

做　法：
1. 青木瓜去皮去籽，切块备用，皇帝豆加入滚水煮
   5分钟后，捞起放凉，去皮膜。（图❶）
2. 盛1份鸡汤或大骨鸡汤入锅中，加入青木瓜
   块煮熟，最后再加入皇帝豆与适量的盐煮熟
   即可。（图❷）

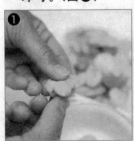

杜仲巴吉^注枸杞鸡汤

〈2 餐份〉

注：巴吉（粤），又名巴乾（天）。

基底高汤

材 料:

鸡架 1 个、鸡脚 6 只、老姜 2 大块。

做 法:

1. 鸡架、鸡脚汆水去血水。
2. 老姜去皮拍扁，放进加了 11 碗冷水的汤锅
   中煮滚。
3. 加入鸡架、鸡脚，盖上锅盖。以中小火煮 60 分钟，
   熄火捞出鸡骨架、与老姜即可。

汤品食材

材 料:

杜仲 1 大片、巴吉 10 粒、枸杞 1 大把、去籽红枣 14 粒、
杏鲍菇 2 小支、木耳 1 片、鸡汤、少许盐。

做 法:

1. 药材与食材皆事先洗净。杏鲍菇切块、木耳切条
   状。
2. 准备电锅，外锅加 2 杯水，盛 2 份鸡汤放入内锅，
   先将药材加入炖煮。（图❶）
3. 外锅再加 1 杯水，加入所有食材与适量的盐炖煮
   即可，内锅记得加盖。（图❷）

炙首乌
补气鸡汤

〈1 周 7 餐份〉

材　料:

鸡骨架 1 个、鸡脚 6 支、老姜 2 大块、
炙首乌 3 大片、黄精 3 片、参须 1/3
把、枸杞子 1 把、少许盐。

做　法:

1. 将鸡骨架与鸡脚氽水去血水，所有药材冲洗过后备用。
2. 老姜去皮拍扁，放入加了 11 碗水的冷水汤锅中煮滚。加入鸡骨架、鸡脚与所
   有药材与适量的盐，盖上锅盖，以中火煮 1 小时。
3. 熄火后捞出鸡骨架、老姜与所有药材。

四神 茯苓鸡汤^注

〈1 周 7 餐份〉

材　料：

鸡骨架 1 个、鸡脚 6 支、老姜 2 大块、
四神汤 1 帖、茯苓 2～3 片、少许盐。

做　法：

1. 茯苓先泡水 2 小时，并剥小块备用。将鸡骨架与鸡脚氽水去血水，所有药材冲洗
   过后备用。
2. 老姜去皮拍扁，放入加了 11 碗冷水的汤锅中煮滚。加入鸡骨架、鸡脚与所有药
   材与适量的盐，以中小火煮 1 个小时。
3. 熄火后捞出鸡骨架、鸡脚与老姜，药材留下和汤一起食用。

注：四神汤是由茯苓、淮山、莲子、芡实组成，各 37 克。

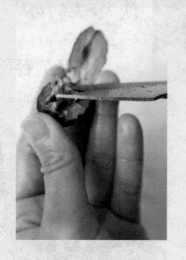

便利的红枣去籽方法

红枣的籽会上火，因此入菜前都先要将籽去掉。去籽其实并不困难，用料理专用剪刀，将红枣垂直剪开，再用剪刀将籽夹出就可以了。

皇帝豆去皮很简单

皇帝豆的皮膜可能会造成胀气，可以的话，建议多一道去皮膜手续。只要将皇帝豆放入滚水中煮5分钟，捞起放凉后，由中心点往外剥，皮膜就能轻松地去除了。

生花生好煮秘诀

买回来的生花生可以先冰在冷冻库中，冷冻库的低温，会破坏花生的分子，烹调时会比较好煮。另外，选购生花生时，花生表皮颜色浅的比较好，说明是最新采收的花生，表皮颜色过深的，千万不要买，因为若是店家保存不好，会产生黄曲毒素。

老姜的数量

如果你在拿捏老姜的用量上有疑虑的话，有个好方法，可以比照办理。只需要把你的四只手指头弯曲，弯曲后的长宽，就可以当作是一大块老姜的量了。

杜仲的品质判断

品质良好的杜仲，在折弯断裂时，中间会有白色透明，类似薄膜状的东西产生，不放心品质的话，可以自己测试一下。

百分百择食的美味菜色

月子调理餐当中规划的菜色，也遵照了有肉、菜和淀粉的原则，设计了各种不同的菜色，有最简单的炒肉片，美味的炖肉、烧肉，还有肉燥，选择用植物油料理，把握温锅冷油的原则即可。肉类的选择，羊肉优于猪肉，猪肉又优于鸡肉，鸡肉又好过海鲜，按照这个原则挑选变换即可。至于淀粉呢，你可以选择白饭、白面条、乌龙面（没有胀气、皮肤过敏、严重缺钙或贫血的人也可适量食用五谷杂粮饭或全麦、荞麦面条）等等，以每餐八分饱的量为主。

这些菜色当中，除了料理过程中以盐、清酱油调味之外，你也可以准备些许的姜汁酱油，这款调味酱汁，可以说是万用酱汁，不只炖肉、烧肉时可以使用，拿来炒菜也很美味，而且既符合食物摄取的原则，又可以增加风味，另外蚝油、香菇素蚝油、西式香料也可以用来调味喔！姜汁酱油的制作方式如下面说明啰。

邱老师的自制不败万用酱汁

很多人一开始吃不习惯我的择食方式，会觉得口味瞬间变清淡很多，无法适应。但是有了这款不败酱汁之后，你就不用再担心这个问题，因为这款酱汁吃起来清爽舒服无负担，是很好的佐酱喔！

材　料：
老姜、酱油（份量可随个人口味斟酌调整）

做　法：
1 老姜去皮切块，打成姜泥，将姜汁过滤出来。
2 加入清酱油拌一拌即可。

Tips 可以一次做多一点，冰在冰箱里随时取用。

接下来，就要告诉你一些让你吃得美味健康又营养的择食烹调方式，让你的月子餐有更多选择，可以放心吃、吃不腻、零负担，同时还对身体健康有好处喔。

胡萝卜香菇肉燥

材 料:
胡萝卜半条、干香菇3～4朵、猪绞肉75g、姜汁酱油。

做 法:
1. 胡萝卜去皮切丁，香菇事先泡发，去蒂切丁。
2. 绞肉先用姜汁酱油入味，再放进平底锅拌炒，表面炒熟后加入切丁的胡萝卜与香菇丁拌炒，再加入姜汁酱油拌炒调味即可。

茭白西洋芹肉燥

材 料:
茭白1支，西洋芹1/2支，猪绞肉75g，姜汁酱油。

做 法:
茭白与西洋芹洗净，刨去表皮，并切丁备用。猪绞肉先用姜汁酱油入味，再放入平底锅拌炒，表面炒熟之后加入切丁的茭白与西洋芹，再加入姜汁酱油拌炒调味即可。

海带
马铃薯炖肉

材　料:
海带约 2 个、马铃薯（小颗）1 颗、猪肉 75g、姜汁酱油。

做　法:
1. 马铃薯削皮切块，先以滚水煮至半熟，海带洗净备用，可依个人喜好决定是否切成小块。猪肉切块（不要切太厚，先以姜汁酱油入味），用平底锅煎至表面熟。(图❶)
2. 海带与猪肉块放入锅中拌炒，放入姜汁酱油腌至材料一半，持续翻炒。(图❷)
3. 最后加入半熟马铃薯，拌炒至全熟即可。(图❸)

◎炖肉变化样式：海带洋葱炖肉、胡萝卜马铃薯炖肉，莲藕黑木耳炖肉（炖煮时间不超过 15 分钟）。

鸡腿烧肉 +
绿豆芽炒
胡萝卜

材 料:
鸡腿肉 75g、小支的胡萝卜 1/2 条、绿豆芽 1/2 碗，
姜汁酱油、二号砂糖些许、米酒少许。

做 法:
1. 胡萝卜去皮切丝、绿豆芽洗净备用, 鸡腿肉敲薄,
   再切成小块。(图❶)
2. 姜片与鸡肉下锅, 鸡皮朝下, 两面煎熟。再加入
   姜汁酱油, 淹至材料一半, 煮熟即可盛起。另将
   胡萝卜丝、绿豆芽下锅炒熟, 再将机鸡腿加入拌
   炒一下即可食用。(图❷)

茭白
豌豆荚烧肉

材　料：
茭白1支、豌豆荚1/2把、羊肉片75克（用姜汁
酱油腌渍一下）、姜汁酱油。

做　法：
1. 茭白洗净，刨去表皮切块、豌豆荚洗净去蒂备用。
   羊肉与姜片下锅拌炒，并加入适量米酒与姜汁酱
   油调味，煮熟即可盛起。（图❶）
2. 茭白与豌豆荚一起下锅拌炒，可视情况增加姜汁
   酱油调味，炒熟后加入炒好的羊肉片拌炒一下即
   可。（图❷）
◎烧肉变化样式：海带菱角烧肉、花椰菜黑木
耳烧肉。

择食美味之四：肉卷

洋葱胡萝卜
肉卷

材 料：
洋葱 1/2 颗、胡萝卜 1/2 条，猪肉片约 5 片、
姜汁酱油。

做 法：

1. 将洋葱洗净切丝，胡萝卜洗净去皮切丝备用，先以
   植物油加少许盐炒至半熟沥去汤汁，将肉片沾上姜
   汁酱油。备料完成后，小烤箱预热约 5 分钟。(图❶)

2. 将肉片展开，取适量洋葱丝与胡萝卜丝放上肉片，
   轻轻地用肉片将材料卷起。(图❷)

3. 将肉卷相互保持距离，并且将开口朝下地放在烤
   盘上，放进烤箱烤约 5～10 分钟即可。(图❸)

Tips 摆放肉卷时，务必保持距离，以免烤
的过程中，肉卷黏在一起。你也可更换其他蔬菜，
做出不同口味的肉卷，如：茭白山药肉卷。

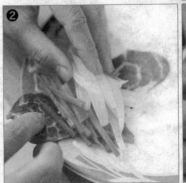

甜豆荚木耳
炒肉片

材 料:
甜豆荚 1/2 碗、木耳切好 1/2 碗、羊肉片 75g（以姜汁酱油腌渍一下）、植物油、少许盐。

做 法:
1. 木耳洗净切成条状、甜豆荚洗净去蒂。温锅中倒入植物油拌炒羊肉与木耳。（图❶）
2. 再加入甜豆荚，与些许盐巴调味，拌炒至熟即可。（图❷）

西洋芹鲜香
菇炒肉片

材　料：
西洋芹 1 支、鲜香菇 3～4 朵、猪肉片 75g、植物油、少许盐与西式香料（迷迭香、百里香等）。

做　法：
1. 西洋芹洗净，刨去表皮并切块，鲜香菇洗净去蒂切块。温锅中加入植物油，放入鲜香菇与肉片拌炒。（图❶）
2. 再加入切块西洋芹，与些许盐巴及西式香料调味，拌炒至熟即可。（图❷）

蚝油秀珍菇皇帝豆炒肉片

材　料:
秀珍菇 1／2 碗、皇帝豆 1／2 碗、猪肉片 75g、植物油、少许盐、蚝油或香菇素蚝油少许。

做　法:
1. 皇帝豆滚水煮 5 分钟,放凉后去皮膜。(图❶)
2. 温锅中倒入植物油,再放进肉片与秀珍菇一起拌炒。(图❷)
3. 加入皇帝豆与些许盐巴、蚝油调味,一起拌炒至熟即可。(图❸)

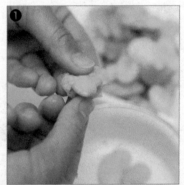

西兰花杏鲍菇炒肉片

材　料：
西兰花 1/2 朵、杏鲍菇 2 小支、干香菇 1 朵（去蒂切丝）、猪肉片 75g、植物油、香菇素蚝油少许。

做　法：
1. 西兰花洗净去皮切小块、杏鲍菇洗净切块。温锅中倒入植物油，先以香菇丝爆香，再加入肉片与杏鲍菇拌炒。（图❶）
2. 再加入西兰花，与些许香菇素蚝油调味，拌炒至熟即可。（图❷）

Tips　　西兰花容易长虫，因此农夫在耕作过程中，多半会喷洒农药，除了烹调前彻底清洁之外，西兰花的外皮也要刨得彻底一点喔。

Tips　　皇帝豆有季节性，大约四月就已经进入产季末期了，若是买不到的话，可以用莲藕或是一年四季都有的菱角、甜豆荚代替。

30天月子调理餐，按表操课就对了！

另外，我也针对每一餐所需要的搭配菜色，设计了一整个月的坐月子饮食菜单，不论是家人帮你料理，或是自己想下厨试试看，却一时之间不知道该怎么搭配菜色的人，完全可以按表操课。当然，只要把握住食物质性原则，你也可以自己发挥创意，创造出独门菜色。

30日菜单范例	第一周	第1天	第2天
	早餐	炙首乌补气鸡汤 火锅肉片3～4片 水果任选2种（注1） 淀粉（注2）	炙首乌补气鸡汤 火锅肉片3～4片 水果任选2种（注1） 淀粉（注2）
	午餐	党参山药杏鲍菇鸡汤 西洋芹洋菇炒肉片 淀粉（注2）	花生猪脚黑枣枸杞汤 西兰花茭白＋烧肉 淀粉（注2）
	晚餐	姜丝石斑鱼汤 胡萝卜香菇肉燥 淀粉（注2）	

152

第 3 天	第 4 天	第 5 天	第 6 天	第 7 天
炙首乌补气鸡汤 火锅肉片 3～4 片 水果任选 2 种(注1) 淀粉（注2）	炙首乌补气鸡汤 火锅肉片 3～4 片 水果任选 2 种(注1) 淀粉（注2）	炙首乌补气鸡汤 火锅肉片 3～4 片 水果任选 2 种(注1) 淀粉（注2）	炙首乌补气鸡汤 火锅肉片 3～4 片 水果任选 2 种(注1) 淀粉（注2）	炙首乌补气鸡汤 火锅肉片 3～4 片 水果任选 2 种(注1) 淀粉（注2）
西洋参香菇鸡汤（剖腹产者第一周改用杜仲巴吉枸杞鸡汤） 山药木耳炒肉片 淀粉（注2）	党参山药杏鲍菇鸡汤 海带马铃薯炖肉 淀粉（注2）	花生猪脚黑枣枸杞汤 秀珍菇皇帝豆炒肉片 淀粉（注2）	杜仲巴吉枸杞鸡汤 西洋芹山药烧肉 淀粉（注2）	党参山药杏鲍菇鸡汤 鸡腿烧肉＋绿豆芽炒胡萝卜 淀粉（注2）
姜丝鲈鱼汤 豌豆荚杏鲍菇炒肉片 淀粉（注2）	青木瓜皇帝豆汤 洋葱胡萝卜肉捲 淀粉（注2）	姜丝石斑鱼汤 海带洋葱烧肉 淀粉（注2）	青木瓜黑木耳南瓜汤 甜豆荚木耳炒肉片 淀粉（注2）	姜丝鲈鱼汤 山药鲜香菇炒肉片 淀粉（注2）

注 1: 水果可选择：奇异果（绿肉）1/2 个、酪梨 1/4 个、百香果 1/2 个、莲雾 1 个、木瓜 6 口、美国葡萄 6～10 个、小颗苹果 1/2 个或大颗苹果 1/4 个、枇杷 3～5 个、番荔枝 1/2 个、草莓 3～5 个、小根香蕉 1 条或大根香蕉 1/2 条。以上水果早餐可任选 2 种。

注 2: 淀粉份量以整体 8 分饱为原则。淀粉可选择白饭、五谷杂粮饭（一星期最多吃 3～4 次为原则，有胀气、皮肤过敏者不宜）、白面条、乌龙面、冬粉（一星期最多吃 3～4 次为原则）、米粉（一星期最多吃 3～4 次为原则）、白馒头、杂粮馒头（一星期最多吃 3～4 次为原则，有胀气、皮肤过敏者不宜）、白吐司、法国面包、贝果等。

第二周	第8天	第9天	第10天
早餐	四神茯苓鸡汤 火锅肉片3~4片 水果任选2种(注1) 淀粉（注2）	四神茯苓鸡汤 火锅肉片3~4片 水果任选2种(注1) 淀粉（注2）	四神茯苓鸡汤 火锅肉片3~4片 水果任选2种(注1) 淀粉（注2）
午餐	花生猪脚黑枣枸杞汤 西洋芹茭白肉燥 淀粉（注2）	杜仲巴吉枸杞鸡汤 西兰花杏鲍菇炒肉片 淀粉（注2）	党参山药杏鲍菇鸡汤 山药洋菇炒肉片 淀粉（注2）
晚餐	青木瓜皇帝豆湯 豌豆荚杏鲍菇炒肉片 淀粉（注2）	姜丝石斑鱼汤 海带马铃薯炖肉 淀粉（注2）	青木瓜黑木耳南瓜汤 鸡腿烧肉＋绿豆芽炒胡萝卜 淀粉（注2）

第 11 天	第 12 天	第 13 天	第 14 天
四神茯苓鸡汤 火锅肉片 3～4 片 水果任选 2 种(注 1) 淀粉（注 2）	四神茯苓鸡汤 火锅肉片 3～4 片 水果任选 2 种(注 1) 淀粉（注 2）	四神茯苓鸡汤 火锅肉片 3～4 片 水果任选 2 种(注 1) 淀粉（注 2）	四神茯苓鸡汤 火锅肉片 3～4 片 水果任选 2 种(注 1) 淀粉（注 2）
花生猪脚黑枣枸杞汤 海带洋葱炖肉 淀粉（注 2）	西洋参香菇鸡汤 绿豆芽木耳炒肉片 淀粉（注 2）	党参山药杏鲍菇鸡汤 甜豆荚木耳炒肉片 淀粉（注 2）	花生猪脚黑枣枸杞汤 豌豆荚鲜香菇＋烧肉 淀粉（注 2）
姜丝鲈鱼汤 茭白山药肉捲 淀粉（注 2）	青木瓜皇帝豆汤 洋葱胡萝卜肉捲 淀粉（注 2）	姜丝石斑鱼汤 黑木耳山药肉捲 淀粉（注 2）	青木瓜黑木耳南瓜汤 茭白杏鲍菇烧肉 淀粉（注 2）

注 1：水果可选择：奇异果（绿肉）1/2 个、酪梨 1/4 个、百香果 1/2 个、莲雾 1 个、木瓜 6 口、美国葡萄 6～10 个、小颗苹果 1/2 个或大颗苹果 1/4 个、枇杷 3～5 个、番荔枝 1/2 个、草莓 3～5 个、小根香蕉 1 条或大根香蕉 1/2 条、樱桃 6～10 个。以上水果早餐可任选 2 种。

注 2：淀粉份量以整体 8 分饱为原则。淀粉可选择白饭、五谷杂粮饭（一星期最多吃 3～4 次为原则，有胀气、皮肤过敏者不宜）、白面条、乌龙面、冬粉（一星期最多吃 3～4 次为原则）、米粉（一星期最多吃 3～4 次为原则）、白馒头、杂粮馒头（一星期最多吃 3～4 次为原则，有胀气、皮肤过敏者不宜）、白吐司、法国面包、贝果等。

第三周	第 15 天	第 16 天	第 17 天
早餐	天麻枸杞鸡汤 火锅肉片 3～4 片 水果任选 2 种(注1) 淀粉（注2）	天麻枸杞鸡汤 火锅肉片 3～4 片 水果任选 2 种(注1) 淀粉（注2）	天麻枸杞鸡汤 火锅肉片 3～4 片 水果任选 2 种(注1) 淀粉（注2）
午餐	杜仲巴吉枸杞鸡汤 西洋芹鲜香菇炒肉片 淀粉（注2）	党参山药杏鲍菇鸡汤 茭白豌豆荚烧肉 淀粉（注2）	花生猪脚黑枣枸杞汤 西兰花杏鲍菇炒肉片 淀粉（注2）
晚餐	姜丝鲈鱼汤 山药洋菇炒肉片 淀粉（注2）	青木瓜皇帝豆汤 海带洋葱炖肉 淀粉（注2）	姜丝石斑鱼汤 山药木耳炒肉片 淀粉（注2）

第 18 天	第 19 天	第 20 天	第 21 天
天麻枸杞鸡汤 火锅肉片 3～4片 水果任选 2种(注1) 淀粉（注2）	天麻枸杞鸡汤 火锅肉片 3～4片 水果任选 2种(注1) 淀粉（注2）	天麻枸杞鸡汤 火锅肉片 3～4片 水果任选 2种(注1) 淀粉（注2）	天麻枸杞鸡汤 火锅肉片 3～4片 水果任选 2种(注1) 淀粉（注2）
西洋参香菇鸡汤 洋葱胡萝卜肉捲 淀粉（注2）	党参山药杏鲍菇鸡汤 海带马铃薯炖肉 淀粉（注2）	花生猪脚黑枣枸杞汤 西洋芹秀珍菇炒肉片 淀粉（注2）	西洋参香菇鸡汤 鸡腿烧肉＋绿豆芽炒胡萝卜 淀粉（注2）
青木瓜黑木耳南瓜汤 甜豆荚鸿禧菇炒肉片 淀粉（注2）	姜丝鲈鱼汤 豌豆荚鲜香菇＋烧肉淀粉（注2）	青木瓜皇帝豆汤 茭白山药肉捲 淀粉（注2）	姜丝石斑鱼汤 甜豆荚杏鲍菇炒肉片 淀粉（注2）

注 1：水果可选择：奇异果（绿肉）1/2 个、酪梨 1/4 个、百香果 1/2 个、莲雾 1 个、木瓜 6 口、美国葡萄 6～10 个、小颗苹果 1/2 个或大颗苹果 1/4 个、枇杷 3～5 个、番荔枝 1/2 个、草莓 3～5 个、小根香蕉 1 条或大根香蕉 1/2 条、樱桃 6～10 个。以上水果早餐可任选 2 种。

注 2：淀粉份量以整体 8 分饱为原则。淀粉可选择白饭、五谷杂粮饭（一星期最多吃 3～4 次为原则，有胀气、皮肤过敏者不宜）、白面条、乌龙面、冬粉（一星期最多吃 3～4 次为原则）、米粉（一星期最多吃 3～4 次为原则）、白馒头、杂粮馒头（一星期最多吃 3～4 次为原则，有胀气、皮肤过敏者不宜）、白吐司、法国面包、贝果等。

第四周	第 22 天	第 23 天	第 24 天
早餐	天清蔬休养鸡汤 火锅肉片3~4片 水果任选2种(注1) 淀粉（注2）	清蔬休养鸡汤 火锅肉片3~4片 水果任选2种(注1) 淀粉（注2）	清蔬休养鸡汤 火锅肉片3~4片 水果任选2种(注1) 淀粉（注2）
午餐	党参山药杏鲍菇鸡汤 西洋芹秀珍菇炒肉片 淀粉（注2）	花生猪脚黑枣枸杞汤 鸡腿烧肉＋绿豆芽炒胡萝卜 淀粉（注2）	杜仲巴吉枸杞鸡汤 海带洋葱炖肉 淀粉（注2）
晚餐	青木瓜黑木耳南瓜汤 茭白山药肉捲 淀粉（注2）	姜丝鲈鱼汤 豌豆荚鲜香菇＋烧肉 淀粉（注2）	青木瓜皇帝豆汤 甜豆荚鸿禧菇炒肉片 淀粉（注2）

第 25 天	第 26 天	第 27 天	第 28 天
清蔬休养鸡汤 火锅肉片 3～4 片 水果任选 2 种(注1) 淀粉（注2）	清蔬休养鸡汤 火锅肉片 3～4 片 水果任选 2 种(注1) 淀粉（注2）	清蔬休养鸡汤 火锅肉片 3～4 片 水果任选 2 种(注1) 淀粉（注2）	清蔬休养鸡汤 火锅肉片 3～4 片 水果任选 2 种(注1) 淀粉（注2）
党参山药杏鲍菇鸡汤 西洋芹荽白肉燥 淀粉（注2）	花生猪脚黑枣枸杞汤 西兰花荽白＋烧肉 淀粉（注2）	西洋参香菇鸡汤 胡萝卜香菇肉燥 淀粉（注2）	杜仲巴吉枸杞鸡汤 海带马铃薯炖肉 淀粉（注2）
党参山药杏鲍菇鸡汤 西洋芹荽白肉燥 淀粉（注2）	青木瓜黑木耳南瓜汤 洋葱胡萝卜肉捲 淀粉（注2）	姜丝石斑鱼汤 山药洋菇炒肉片 淀粉（注2）	青木瓜皇帝豆汤 洋葱木耳炒肉片 淀粉（注2）

注 1：水果可选择：奇异果（绿肉）1/2 个、酪梨 1/4 个、百香果 1/2 个、莲雾 1 个、木瓜 6 口、美国葡萄 6～10 个、小颗苹果 1/2 个或大颗苹果 1/4 个、枇杷 3～5 个、番荔枝 1/2 个、草莓 3～5 个、小根香蕉 1 条或大根香蕉 1/2 条、樱桃 6～10 个。以上水果早餐可任选 2 种。

注 2：淀粉份量以整体 8 分饱为原则。淀粉可选择白饭、五谷杂粮饭（一星期最多吃 3～4 次为原则，有胀气、皮肤过敏者不宜）、白面条、乌龙面、冬粉（一星期最多吃 3～4 次为原则）、米粉（一星期最多吃 3～4 次为原则）、白馒头、杂粮馒头（一星期最多吃 3～4 次为原则，有胀气、皮肤过敏者不宜）、白吐司、法国面包、贝果等。

第五周	第 29 天	第 30 天
早 餐	炙首乌补气鸡汤 火锅肉片 3～4 片 水果任选 2 种（注1） 淀粉（注2）	炙首乌补气鸡汤 火锅肉片 3～4 片 水果任选 2 种（注1） 淀粉（注2）
午 餐	花生猪脚黑枣枸杞汤 西洋芹杏鲍菇炒肉片 淀粉（注2）	党参山药杏鲍菇鸡汤 西兰花茭白＋烧肉 淀粉（注2）
晚 餐	姜丝石斑鱼汤 海带马铃薯炖肉 淀粉（注2）	青木瓜黑木耳南瓜汤 胡萝卜香菇肉燥 淀粉（注2）

这套坐月子餐，在月子后的哺乳期间都还可以继续食用，不需要坐完月子就完全停止，因为其中也包含了能够增加泌乳量的发奶汤品，继续执行，宝宝的食物绝对不虞匮乏。

注 1：水果可选择：奇异果（绿肉）1/2 个、酪梨 1/4 个、百香果 1/2 个、莲雾 1 个、木瓜 6 口、美国葡萄 6～10 个、小颗苹果 1/2 个或大颗苹果 1/4 个、枇杷 3～5 个、番荔枝 1/2 个、草莓 3～5 个、小根香蕉 1 条或大根香蕉 1/2 条、樱桃 6～10 个。以上水果早餐可任选 2 种。

注 2：淀粉份量以整体 8 分饱为原则。淀粉可选择白饭、五谷杂粮饭（一星期最多吃 3～4 次为原则，有胀气、皮肤过敏者不宜）、白面条、乌龙面、冬粉（一星期最多吃 3～4 次为原则）、米粉（一星期最多吃 3～4 次为原则）、白馒头、杂粮馒头（一星期最多吃 3～4 次为原则，有胀气、皮肤过敏者不宜）、白吐司、法国面包、贝果等。

亲喂母乳，对宝宝最好对你也好

相信大家在怀孕期间也都会做功课，或是上网看看妈妈们的经验分享，关于亲喂母乳的好处我就不必多说了，因为喂母乳的好处多多，目前各大医院包括月子中心也都建议能喂母乳最好，所以，也请你以母乳作为优先考量。

经过孕前、怀孕期间的体质调养，你的母乳应该是宝宝在这世界上最棒的食物，既健康又营养。你担心因为喂母乳造成乳腺阻塞，下垂，或是变成石头奶吗？如果是这样，你只要按照建议勤于按摩，不偷懒地挤奶，补充足够的营养素，这些问题一个也不会发生。

喂母乳的时间，建议至少 6 个月，如果可以的话长达一年或更久也很不错。也请你先亲自喂，等到宝宝吸腻了，或是没有力气吸的时候，再改成奶瓶喂奶。

至于挤奶，是生产完后的一大功课。即便再累，都不能偷懒，否则等到乳腺阻塞，你想后悔也来不及了。

首先，初乳多半可以在医院护士的协助下进行，务必要记住，奶水一定要挤干净，可以利用挤奶器或吸奶器来辅助。之后，只要感觉到胀奶，就要用热毛巾热敷，并且在热敷 15 分钟后开始按摩，这些动作对于挤奶很有帮助。

一开始的几天，大约一天需要三四次的热敷与按摩。不过，随着泌乳量的增加，每一次挤奶前约半小时到 1 个小时，都要进行一次热敷与按摩。例如：每 2 个小时喂奶 1 次，喂奶前的半小时到 1 个小时就要进行热敷按摩。这的确是一个需要花时间的过程，不过如果你在月子中心或是请月嫂到家里来坐月子，基本上是可以请她们协助。

而泌乳期间的按摩，除了产前一个月的圆周状胸部按摩之外，还得再加上由外往内的放射状按摩。此时你一定要勤劳按摩，不要偷懒，每天都做这个动作可以让你的乳腺不阻塞，免于遭受不必要的折磨。

泌乳期间增加的放射状胸部按摩：

单手托住一侧胸部，另一只手手指并拢，用手掌外侧，从胸部外围往乳头方向推拨，整个胸部都如此由外往内按摩后，再重复约 35 次，另一侧胸部也别忘了喔。

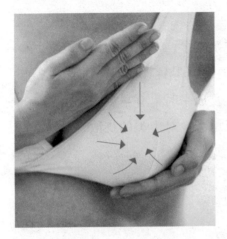

这个胸部按摩，你可以自己进行，也可以请别人帮忙，尤其是请月嫂到家里来的人，月嫂都会很乐意帮忙的。另外，喂奶前，乳头的清洁也要做得确实，喂奶后的清洁保养，以及确认已经把奶水挤干净这点，也都偷懒不得喔。

退奶不用打针，循序渐进自然退

如果哺乳了半年以后，因为工作或是其他种种因素，不想继续哺乳时，可先别急着去医院打退奶针。我向你提供自然缓和的退奶步骤，只要依序进行，你的奶水就会慢慢减少的。

首先，月子餐当中的鸡汤开始减量。退奶的大原则是逐周减少汤品的摄取，先把晚餐中的汤减掉，一周一周地，慢慢减少汤品的摄取，到最后恢复成平时只有早餐喝鸡汤的状态，在这个过程中，也逐渐地减少对肉类的摄取，最后再搭配退奶水，就可以轻松退奶。

六周退奶步骤：

　　第一周，去掉晚餐的青木瓜汤。

　　第二周，去掉晚餐的鱼汤。

　　第三周，去掉午餐的花生猪脚汤。

　　第四周，去掉中午的鸡汤，保留早上的鸡汤。

　　第五周，开始减少肉量摄取，先减少每餐1片肉的量（约1520克 ）。

　　第六周，再减少每餐1片的肉，往后以每周减少每餐1片肉量的原则，直到回复到怀孕前每餐正常75克肉量的摄取。

　　经过大约六周后，饮食部分已经恢复到产前的状态，此时，每次喂奶前的热敷按摩，请改成冰敷。冰敷的用具也很简单，只需要随处都买得到的卷心菜即可。

可以事先准备好几片比较大的卷心菜叶，清洗过后以流动的水泡 15 分钟，好把农药等不好的物质彻底清除，再冰在冰箱里备用。每次要喂奶前，取出冰箱的卷心菜叶，冰敷 10 ~ 15 分钟。

这个阶段，还可以搭配退奶水。

退奶水的制作方法也很简单，准备生麦芽 1 两，加 1200 毫升的水煮 20 分钟后，当水喝，喝 3 天，如果还是有奶水，则调整生麦芽的量，用生麦芽 2 两，加 1500 毫升的水，煮 20 分钟，一样每天当水喝，直到奶水全退了为止。

另外，退奶过程中，没有胀奶的话就先不要挤奶了，如此一来，多管齐下，你的身体自然会告诉你的大脑，不需要再继续泌乳了，奶水自然会慢慢地减少。身体呢，是个很奇妙的构造，你只要告诉它一点讯息，它就会给你回应。重点是不要急也不要猛，尽量以不破坏身体自然运作的方式调整，这样才能和身体和平共处。

腹腿部淋巴按摩，帮你产后排毒又瘦身

生产完后，妈妈们就开始展开与宝宝一起的新生活，大部分的妈妈们，无不将所有心力都放在宝宝身上，因为看到那天使般的脸孔，谁能不心动呢，尤其又是从自己身体内孕育出来的生命，是这世界上最珍贵的宝贝，无法取代。当你为了宝宝认真进食，努力哺乳的时候，也别忘了照顾自己。

虽然，在经过我调理的孕妇中，在怀孕期间坚持正确的饮食、作息与控制体重，产后多半能在短时间内顺利地恢复到产前的身材，不过，我还是要提供一些有助于身材恢复的按摩方法，锁定的部位在腹部与腿部。这些按摩区域，也都会触及身体的淋巴系统，除了瘦身的功能，还可以同时有淋巴排毒作用。

腹部淋巴紧实按摩

针对腹部的淋巴瘦身按摩进行过程中，需要全程躺下，所以请你先准备一个抱枕或是一条毛巾，垫在腰部下面，或是将折叠起来的毛巾当作抱枕用，把腰部撑起来，让上半身至少因此能有一点伸展的感觉。躺好后，双手可以搭配惯用的身体乳液或是个人保养品，开始进行腹部瘦身按摩。

❶先进行腹式呼吸。吸气时，肚子隆起，吐气时肚子凹陷，慢慢地吸……呼……大概3～5次，身体就会有自然放松的感觉。不习惯这种呼吸法的人，刚开始时，把意念集中在肚子，多练习几次，就能上手了。

❷双手以顺时针方向不断交替，在肚子上以画圆方式

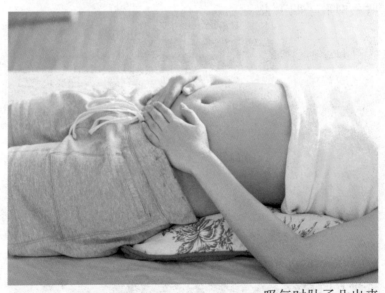

吸气时肚子凸出来

呼气时肚子凹下去

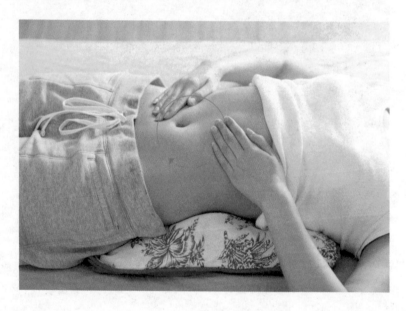

按摩。约划 3 ~ 5 圈。

❸ 接着找到自己肋骨的位置，从左边肋骨下方开始，往左下方推按，再从左腰侧，往肚脐下方推按，再从下腹部往右侧腰间推按，最后再从右侧腰间，往右边肋骨方向推按，以菱形的推按方向，持续 3 ~ 5 次。

❹ 从腰侧开始，由外往内，双手交替滑拨，可以稍微

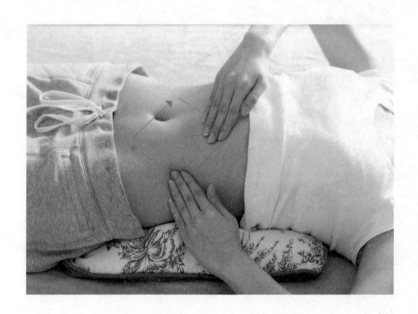

用点力气，感觉要把腰间的肉往肚脐方向推，每一边重复推拨 6 次。

❺ 最后再搭配几个穴位按摩，帮助排水与紧实腹部肌肉，就可以大功告成了。

腹部瘦身穴位：

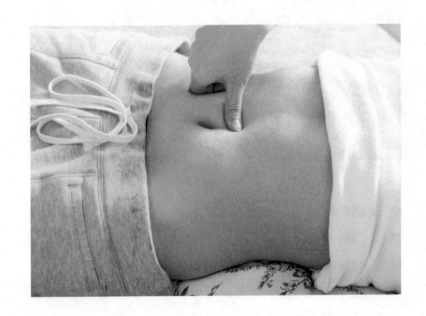

◆ 水分穴

功　　能：帮助水分代谢正常，消除浮肿

位　　置：肚脐上方约一指宽处

按摩手法：以拇指指腹慢慢按压，或是定点绕圈揉按，重
　　　　　复约 5～10 次

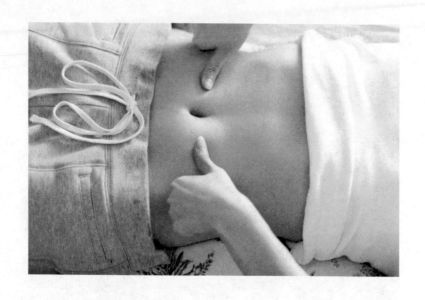

◆ **天枢穴**

功　　能： 帮助紧实腹部肌肉

位　　置： 肚脐左右约 2 指宽的位置

按摩手法： 可用两只手的大拇指指腹按压，也可以定点绕

　　　　　　圈揉按，重复约 5～10 次

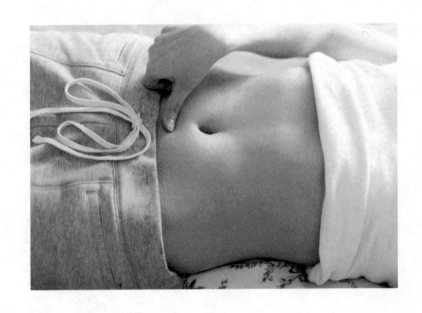

◆ 气海穴

功　　能：帮助平衡荷尔蒙，镇定神经与纾压

位　　置：肚脐下方 2 厘米

按摩手法：可用两只手的大拇指指腹按压，也可以定点绕
圈揉按，重复约 5 ~ 10 次。

⑥ 按摩的最后需要进行舒缓。请将双手放在下腹，也就是子宫的位置，往外侧缓慢抚滑，并且想像着子宫正因为你的双手而获得舒展，连续约5～10次。最后，将双掌交叠，回到腹部，顺时针方向绕圈安抚，约5～10次。

腿部淋巴消肿按摩

　　做腿部按摩的时候，可以找一张矮椅坐着按摩，或是坐在床上、沙发上也都没问题，尽量找到一个你觉得舒适的动作再开始。和腹部按摩一样，你可以选择自己喜欢的身体乳液，从左脚开始。

❶ 以拇指指腹按压脚心涌泉穴的地方，可往下按压，也可停留原处揉按。这个穴位可以帮助水分代谢，排除多余的水分。重复此动作约 3～5 次。

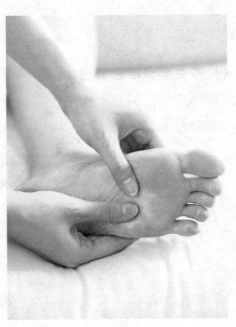

❷ 以拇指指腹推按脚踝内侧。重复约 3～5 次。

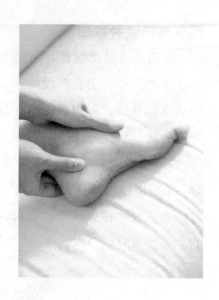

❸ 在由脚踝沿着后腿，双手交替，一路往上抚顺直到大腿根部。

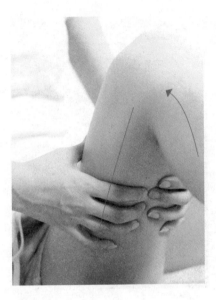

❹ 双手握住小腿，由脚踝处往大腿根部滑行，过程中四只手指头可稍加施力，重复约 3~5 次。

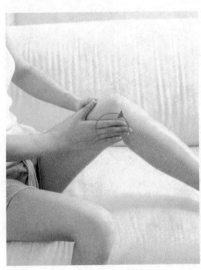

❺ 右手于膝盖内侧画圆按摩，重复 5 次。

❻ 握拳轻轻敲击小腿至大腿外侧，可以促进循环，重复数次，直到腿部微微感到温热即可。

❼ 舒缓，由下往上安抚整条腿，并换右脚进行按摩。

按摩指导示范：玩。疗愈
Kaya Wang
kayawang.massage@gmail.com

178

按摩贵在持之以恒，可别三天打渔两天晒网喔！我觉得更可贵的是，每天花十几分钟替自己按摩，让自己专注于自己的身体，享受忙碌生活中专属自己的安静片刻，适当地放松，可以让你更有能量地面对生活中的大小事。

　　如果你想要有个宝宝，却迟迟没有好消息，先别急，按照书中的建议，自己试着寻找适合自己的食物，观察自己身体的变化，假以时日，你的身体就会告诉你，我准备好了！届时，有个健康的宝宝绝非难事。如果你已经有了宝宝，或是正打算有下一个宝宝，这些原则更是身为母亲的你，必须学习的，因为你掌握的不只是自己，更是全家人与下一代的健康。

　　从今天开始就身体力行吧！检查一下家里的冰箱、食物柜，该舍弃的就舍弃，该拒绝的就拒绝，因为，现在的决心，会为你和宝宝带来再多金钱也买不到的一辈子的健康！加油，要持之以恒喔！邱老师祝福你！